1

Les recettes ont été rédigées par Anne-Cécile FICHAUX et
Jérôme ODOUARD.

Les photographies sont de SAEP/Claudia ALBISSER-HUND
sous la direction de Jean-Luc SYREN.

La coordination a été assurée par SAEP/Éric ZIPPER.

La mise en page et le graphisme sont de Valérie RENAUD.

Composition et photogravure : SAEP/Arts Graphiques.

Impression : Union Européenne.

Conception : SAEP CRÉATION
68040 INGERSHEIM - COLMAR

Soirée crêpes

ÉDITIONS S.A.E.P. 68040 INGERSHEIM - COLMAR

SIGNIFICATION DES SYMBOLES
ACCOMPAGNANT LES RECETTES

◎	⚠	€€	
X PERS.	DIFFICULTÉ	COÛT	

o Si vous avez la nostalgie de votre première crêpe au sucre, vous trouverez dans ce livre des recettes traditionnelles comme celle de la pâte à tartiner maison, mais aussi des recettes innovantes comme celle des crêpes roulées à la chair de crabe.

o De l'apéritif au petit-déjeuner en passant par le goûter, ces recettes sont à découvrir tout au long de la journée, pour les petits et les grands moments de la vie.

o Chic, les crêpes ? Bien sûr ! avec une bonne dose d'imagination et un tout petit peu de savoir-faire, les crêpes se transforment en plats gastronomiques.

o Faciles, les crêpes ? Oui, en suivant nos conseils de cuisson, vous allez devenir un vrai professionnel. Finies les crêpes carbonisées ou desséchées.

o Créatives, les crêpes ? Plus que jamais ! Dans notre chapitre « Crêpes en plat », vous découvrirez une mine d'idées pour faire autre chose que des crêpes, avec des crêpes. Gâteaux, papillotes et raviolis sont de la partie.

Mais, ce qui fait le succès des crêpes, c'est leur convivialité et toute la bonne humeur que vous mettrez à les préparer... et à les partager !

o Les crêpes : sans aucun doute le dessert préféré des enfants ! Quoi de plus ludique que d'étaler soi-même sa garniture, de plier sa crêpe et de la manger avec les doigts !

connaît un vif succès. De plus, la farine d'épeautre est plus riche en vitamines, en sels minéraux, en acides aminés essentiels et en protéines que la farine de blé.

o La farine de seigle : en raison de son goût prononcé et de sa « lourdeur », il est conseillé de ne pas utiliser uniquement de la farine de seigle pour la préparation des crêpes. En revanche, n'hésitez pas à la mélanger : par exemple un tiers de farine de seigle pour deux tiers de farine de blé.

Il existe une variété innombrable de farines, vous les trouverez très facilement dans les magasins d'alimentation diététique ou biologique. Citons par exemple les farines de châtaigne, de quinoa, de millet, d'avoine, d'amarante, de riz, d'orge, de maïs.
Pour les personnes allergiques au gluten, vous pouvez remplacer la farine de froment par les farines suivantes : sarrasin, millet, riz, châtaigne, quinoa ou amarante. Mélangez-les entre elles selon vos préférences !

o La farine de blé, également appelée farine de froment : de couleur blanche, c'est la farine la plus couramment utilisée en cuisine, elle est donc facile à trouver et bon marché. Attention, il existe aussi de la farine de blé semi-complète et complète ! Vous les trouverez en magasin d'alimentation diététique ou biologique.

o La farine de sarrasin : le sarrasin est souvent appelé « blé noir », ne soyez donc pas étonné de voir sur le menu de votre crêperie la dénomination « galette de blé noir ». La farine de sarrasin est employée principalement pour la préparation des galettes mais, si vous appréciez son goût unique, rien ne vous empêche de la mélanger avec de la farine de froment dans la préparation des crêpes sucrées.

o La farine d'épeautre : l'épeautre est l'ancêtre du blé, sa culture a été reprise récemment et

o Le cidre est la boisson qui accompagne traditionnellement les crêpes. C'est une boisson alcoolisée à base de pommes qui a été mise au point non pas en Bretagne mais en Espagne !

o Le cidre doux a un degré d'alcool compris entre 1,5° et 3°. Il s'accorde parfaitement avec les salades, les crêpes aux légumes et les desserts.

o Le cidre brut est plus fort, son degré d'alcool est compris entre 4° et 5,5°. Choisissez-le pour accompagner les crêpes à la viande rouge et blanche, au poisson et aux crustacés.

o 110 millions de litres de cidre sont produits chaque année. En France, la consommation moyenne s'élève à 3 litres de cidre par an et par habitant.

o Comment le cidre est-il fabriqué ? Les pommes sont cueillies mûres, puis elles sont lavées, râpées et broyées. Enfin, elles sont pressées. Le jus obtenu est filtré avant de fermenter plusieurs mois en tonneau. Pendant la phase de fermentation, le sucre naturellement contenu dans les pommes se transforme en alcool.

o Une fois fermenté, le cidre est mis en bouteille. Il peut être pasteurisé, mais ce n'est pas obligatoire.

o Si vous préférez un bon verre de vin, accordez-le en fonction de la farce de la crêpe, comme vous le feriez pour tout autre plat.

Pour les enfants, un verre de jus de pomme fermier sera idéal en toutes circonstances.

o À l'heure du goûter et du petit-déjeuner, accompagnez vos crêpes de thé, de chocolat chaud ou de café. Évidemment, l'eau et les jus de fruits sont toujours les bienvenus !

o En enveloppe décachetée

C'est une des techniques les plus répandues pour le pliage des galettes.
Rabattez 2 bords opposés sur la farce et pliez un troisième côté par-dessus. Vous obtiendrez une « enveloppe » décachetée qui dévoile la farce de la galette.

o En enveloppe fermée

Procédez de la même façon et rabattez le quatrième bord. Vous obtiendrez un carré.

o En quatre

Très pratique pour manger une crêpe à la main.
Pliez la crêpe en deux, de façon à obtenir un demi-cercle, pliez à nouveau en deux pour obtenir un quart de cercle.

o En aumônière

Déposez la farce au centre de la crêpe et formez un tas. Avec les deux mains, ramenez les bords de la crêpe au-dessus de la farce et fermez avec un lien (brin de ciboulette, fil alimentaire...) pour obtenir une petite bourse.

o En triangle

Rabattez un bord vers le centre de la crêpe. Rabattez les deux autres bords vers le centre. La farce doit être entièrement dissimulée.

o En éventail

Comme pour une crêpe en triangle, en ne rabattant que deux bords sur trois vers le centre.

o En cornet de glace

Pliez la crêpe en deux pour obtenir un demi-cercle. Roulez la crêpe sur elle-même, autour du centre de la crêpe.

o Roulée

Très pratique pour manger une crêpe à la main.
Déposez la farce au milieu de la crêpe, puis étalez-la en transversale, sur toute la longueur. Roulez la crêpe sur elle-même.

Soirée Crêpes

MATÉRIEL DE PRÉPARATION

○ La préparation des crêpes étant un jeu d'enfant, vous n'avez besoin que d'un saladier, d'une balance et d'un fouet. Bien sûr, vous gagnerez du temps et de l'énergie en utilisant un batteur électrique ou un blender si vous êtes équipé d'un robot multifonctions.

MATÉRIEL DE CUISSON

○ Choisissez de préférence des poêles ou crêpières antiadhésives, cela vous permettra d'utiliser moins de matières grasses pour la cuisson de vos crêpes et galettes.

○ Pour la cuisson des pancakes, optez pour une poêle de 12 cm de diamètre que vous pourrez aussi utiliser pour la cuisson des grands blinis. Pour la cuisson des petits blinis, il existe des poêles spéciales, avec 3 ou 4 emplacements de 5 cm de diamètre.

○ Les galettières sont idéales pour la cuisson des galettes. Les « vraies » galettières sont de grands disques sans manche, en fer ou en fonte, posés directement sur la source de chaleur, bien souvent une plaque au gaz. On trouve désormais des galettières munies d'un manche, couvertes d'un revêtement antiadhésif.

Pour retourner les crêpes, choisissez une longue spatule (appelée couteau à beurre) que vous glisserez sous le milieu de la crêpe ou de la galette pour la retourner d'un seul coup. Finies les crêpes déchirées et collées.

○ La raclette est utilisée pour la cuisson de la pâte à galette (de sarrasin). Après avoir versé une petite louche sur la galettière, étalez aussitôt la pâte à l'aide de cette raclette fine et longue de 10 à 15 cm, munie d'un long manche. Il faut faire plusieurs essais avant de prendre le coup de main, mais vous ne regretterez pas cet effort quand vous aurez le plaisir de déguster une galette toute fraîche.

CUISSON

○ La cuisson à l'huile d'olive est recommandée pour les crêpes salées, car elle est meilleure pour la santé. Pour les crêpes sucrées, vous pouvez utiliser du beurre doux ou demi-sel, mais avec modération.

○ Répartissez toujours la matière grasse avec un papier absorbant : de cette façon, toute la surface de la crêpière sera couverte et le surplus de matière grasse sera absorbé !

○ La poêle doit être bien chaude pour la cuisson. Si vous réchauffez une crêpe ou une galette avec sa garniture, optez pour une cuisson à feu moyen, quitte à prolonger la cuisson de quelques minutes, cela vous évitera de manger une crêpe sèche et cassante.

DES CONFITURES MAISON... TOUT SIMPLEMENT

o Un plaisir tout simple qui non seulement vous servira pour garnir vos crêpes, mais que vous pourrez aussi utiliser sur une bonne tartine de pain, dans un yaourt ou sur un fond de tarte.

o Que trouve-t-on dans la confiture ? Des fruits frais, du sucre, un gélifiant et des épices. Bien sûr, cela prend plus de temps que l'acheter toute faite, mais c'est tellement meilleur. De plus, en faisant vous-même vos confitures, vous pouvez créer des recettes originales et associer les saveurs que vous aimez.

o D'abord, vous devez choisir des fruits bien mûrs et, tant qu'à faire, des fruits de saison. Meilleurs seront les fruits, meilleure sera la con-fiture. Lavez les fruits, supprimez les pépins, les noyaux et les parties abîmées et coupez les fruits en morceaux.

o Versez dans une marmite les morceaux de fruits, la moitié de leur poids en sucre et le gélifiant (voir ci-contre). Faites cuire et versez dans des bocaux stérilisés !

o Comment savoir si une confiture est « prise » ? Avec une cuillère en bois, prélevez une petite quantité de confiture dans la marmite et déposez-la sur une assiette. Inclinez l'assiette et, si la confiture ne coule pas, c'est qu'il faut vite la mettre en pot !

Soirée Crêpes

LES DIFFÉRENTS GÉLIFIANTS

o Le gélifiant le plus utilisé est la gélatine, conditionnée sous forme de feuille. La gélatine est d'origine animale. Cependant, l'agar-agar, d'origine végétale, est de plus en plus facile à trouver et tout aussi simple d'utilisation. Vous pouvez également utiliser du sucre « spécial confiture » qui contient déjà la dose de gélifiant nécessaire à la réussite de vos confitures.

	Fruits (en kg)	Sucre (en kg)	Gélifiant (en g)
Gélatine	1	0,5	20
Agar-agar	1	0,5	4
Sucre spécial confitures	1	0,5	Inclus

UTILISATION DES GÉLIFIANTS

o La gélatine
Quand les fruits et le sucre sont à ébullition, faites tremper les feuilles de gélatine 2 minutes dans un bol ou un saladier d'eau froide. Égouttez les feuilles avec les mains et plongez-les aussitôt dans les fruits. Remuez pour dissoudre les feuilles de gélatine et laissez mijoter 15 à 20 minutes, jusqu'à ce que le mélange prenne la consistance de la confiture. Mettez en pot.

o L'agar-agar
Quand les fruits et le sucre sont à ébullition, laissez cuire encore 10 minutes pour que les arômes se développent et que les fruits cuisent. Puis diluez l'agar-agar dans un petit verre d'eau froide et mélangez. Versez le contenu du verre sur les fruits, mélangez rapidement et laissez bouillir 2 minutes. Mettez en pot immédiatement et laissez refroidir

o Le sucre spécial confiture
Incorporez le sucre dès le début de la cuisson avec les fruits en morceaux. Portez à ébullition, réduisez le feu et laissez mijoter jusqu'à ce que le mélange prenne. Mettez en pot.

CONFITURE DE POIRES AU CASSIS

6 PERS. | **FACILE** | **RAISONNABLE**

Préparation : 10 min – Cuisson : 30 min – Repos : 4 h

3 POIRES / 100 G DE CASSIS / 1 CUIL. À CAFÉ DE CANNELLE / 200 G DE SUCRE SPÉCIAL CONFITURE.

○ Éplucher les poires et les couper en morceaux. Rincer les baies de cassis délicatement. Mélanger les fruits avec la cannelle. Laisser mariner 2 à 4 heures au frais (cette étape est facultative).

○ Mettre les fruits macérés et le sucre dans un faitout et faire cuire à feu moyen 10 minutes en remuant. Augmenter le feu et porter à ébullition 3 minutes. Réduire le feu et continuer la cuisson en remuant pendant 15 minutes environ. Quand le mélange prend la consistance d'une confiture, mettre en pot.

CONFITURE DE LAIT AUX NOISETTES

6 PERS. | **FACILE** | **PEU COÛTEUSE**

Préparation : 5 min – Cuisson : 2 h

1 GOUSSE DE VANILLE / 1 L DE LAIT FRAIS / 400 G DE SUCRE EN POUDRE / 100 G DE POUDRE DE NOISETTE.

○ Fendre la gousse de vanille. Mettre tous les ingrédients dans une grande casserole et porter à ébullition. Aux premiers frémissements, réduire le feu et laisser cuire 1 heure 30 minutes à 2 heures en remuant régulièrement avec une spatule en bois. Quand le mélange s'épaissit, remuer sans arrêt pendant 5 minutes.

○ Verser dans des pots stérilisés quand le mélange prend la consistance de la confiture.

CONFITURE DE BANANES AUX RAISINS SECS

6 PERS. **FACILE** **PEU COÛTEUSE**

Préparation : 10 min – Cuisson : 20 min – Trempage : 15 min

1 ORANGE / 50 G DE RAISINS SECS / 500 G DE BANANES / 10 CL DE RHUM / 250 G DE SUCRE EN POUDRE / 1 CUIL. À SOUPE DE GINGEMBRE EN POUDRE / 2 G D'AGAR-AGAR.

o Presser l'orange. Faire gonfler les raisins secs dans un bol d'eau tiède pendant 15 minutes puis les égoutter.

o Éplucher les bananes et les couper en rondelles. Dans un faitout, verser les bananes, le jus d'orange, les raisins secs égouttés, le rhum, le sucre et le gingembre. Mélanger et faire cuire 10 minutes à feu doux. Augmenter le feu quand les bananes commencent à se réduire en purée ; laisser cuire 5 minutes.

o Diluer l'agar-agar dans 5 cl d'eau froide, mélanger et verser dans le faitout. Mélanger aussitôt avec une cuillère en bois, laisser cuire 2 minutes et mettre en pot.

PÂTE À CRÊPES CLASSIQUE

4 PERS.   ÉLÉMENTAIRE   PEU COÛTEUSE

Préparation : 5 min

50 G DE BEURRE / 300 G DE FARINE / 3 ŒUFS / 3 CUIL. À SOUPE DE SUCRE EN POUDRE / 2 CUIL. À SOUPE D'HUILE DE TOURNESOL OU D'OLIVE / 50 CL DE LAIT DEMI-ÉCRÉMÉ.

○ Faire fondre le beurre. Dans un saladier, verser la farine et former un puits. Verser les œufs dans le puits, ainsi que le sucre, le beurre fondu et l'huile. Mélanger avec un fouet.

○ Verser le lait petit à petit, en battant le mélange à chaque fois pour éviter la formation de grumeaux.

ASTUCE

Faire cuire les crêpes une à une dans une poêle légèrement huilée.
Ajouter un peu de cannelle, de vanille ou de zestes de citron non traité...
avant de cuire les crêpes.

PÂTE À CRÊPES À LA BIÈRE

4 PERS.   FACILE   PEU COÛTEUSE

Préparation : 10 min – Repos : 1 h

500 G DE FARINE / 5 ŒUFS / 1 L DE LAIT DEMI-ÉCRÉMÉ / 15 CL DE BIÈRE BLONDE / 3 CUIL. À SOUPE D'HUILE / SEL.

○ Dans le bol du mixeur, verser la moitié de la farine et une pincée de sel. Casser 1 œuf et mixer. Renouveler l'opération pour chaque œuf.

○ Verser un peu de lait et de farine puis mixer. Renouveler l'opération jusqu'à ce qu'il ne reste plus de lait ni de farine. Ajouter la bière et l'huile. Mixer puis laisser reposer 1 heure.

ASTUCE

Cuire les crêpes dans une crêpière, avec une petite noisette de beurre.

PÂTE À CRÊPES BRETONNES

4 PERS.   FACILE   PEU COÛTEUSE

Préparation : 10 min – Repos : 1 à 2 h

10 G DE BEURRE DEMI-SEL FONDU / 250 G DE FARINE / 2 CUIL. À SOUPE DE SUCRE EN POUDRE / 3 ŒUFS / 25 CL DE LAIT / 25 CL DE CIDRE / UNE PINCÉE DE SEL.

○ Dans un saladier, mélanger la farine avec le sel et le sucre. Former un puits et y verser les œufs entiers. Mélanger puis verser le lait petit à petit en battant régulièrement. Puis ajouter

le beurre fondu et le cidre. Battre la pâte.
○ Couvrir le saladier d'un torchon propre et laisser reposer 1 à 2 heures.

ASTUCE

Faire cuire les crêpes dans une poêle légèrement beurrée.

PÂTE À CRÊPES FACILE

4 PERS.   ÉLÉMENTAIRE   PEU COÛTEUSE

Préparation : 5 min

100 G DE FARINE / 25 CL DE LAIT / 1 ŒUF / 1 CUIL. À SOUPE D'HUILE DE TOURNESOL OU D'OLIVE /1 CUIL. À SOUPE DE SUCRE (FACULTATIF) / UNE PINCÉE DE SEL.

o Dans un blender, verser tous les ingrédients et mixer 1 à 2 minutes, jusqu'à ce qu'il n'y ait plus de grumeaux.

ASTUCE

Faire cuire les crêpes dans une poêle antiadhésive légèrement huilée ou beurrée.

PÂTE À CRÊPES EXTRASIMPLE
SANS BALANCE

4 PERS.   ÉLÉMENTAIRE   PEU COÛTEUSE

Préparation : 5 min – Repos : 1 à 2 h

1 NOIX DE BEURRE / 1 VERRE À MOUTARDE (25 CL) DE FARINE / 1 VERRE À MOUTARDE DE LAIT / 1 ŒUF / 1/4 DE VERRE À MOUTARDE DE SUCRE / UNE PINCÉE DE SEL.

o Faire fondre le beurre. Dans un blender, verser tous les ingrédients et mixer 1 à 2 minutes, jusqu'à ce qu'il n'y ait plus de grumeaux.

o Couvrir d'un torchon propre et laisser reposer 1 à 2 heures.

ASTUCE

Faire cuire les crêpes dans une poêle antiadhésive légèrement huilée ou beurrée.

PÂTE À CRÊPES AUX CÉRÉALES

4 PERS.   ÉLÉMENTAIRE   RAISONNABLE

Préparation : 10 min – Repos : 30 min

5 ŒUFS / 75 G DE SUCRE EN POUDRE / 200 G DE FARINE SEMI-COMPLÈTE / 150 G DE FLOCONS DE QUINOA, D'AVOINE ET DE RIZ SOUFFLÉ / 25 CL DE LAIT.

o Battre les œufs avec le sucre. Verser la farine en pluie et battre avec un fouet.
o Mélanger les flocons de céréales avec le lait, laisser gonfler 3 minutes. Intégrer le lait et les céréales à la préparation. Laisser reposer 30 minutes à température ambiante.

ASTUCE

Faire cuire les crêpes une à une dans une poêle légèrement huilée.

PÂTE À CRÊPES DE BLÉ NOIR (GALETTES BRETONNES)

4 PERS. | **ÉLÉMENTAIRE** | **RAISONNABLE**

Préparation : 10 min – Cuisson : 20 min – Repos : 1 h

500 G DE FARINE DE SARRASIN (BLÉ NOIR) / 150 G DE FARINE DE FROMENT / 1 ŒUF / 2 CUIL. À SOUPE D'HUILE D'OLIVE / 2 CUIL. À CAFÉ DE SEL FIN.

o Dans un grand saladier, verser la farine et le sel. Former un puits et y verser l'œuf entier et l'huile. Mélanger petit à petit en versant 1,5 l d'eau. La pâte doit être assez liquide. Couvrir d'un torchon propre et laisser reposer 1 heure.

o Faire cuire les galettes dans une galettière ou dans une grande crêpière légèrement beurrée. Verser une petite louche de pâte et l'étaler aussitôt à l'aide d'une raclette. Des trous doivent se former sur toute la surface de la galette, telle une dentelle. Retourner la galette à l'aide d'une grande spatule en bois. Laisser cuire 2 à 3 minutes de chaque côté.

ASTUCE

Les galettes se conservent plusieurs jours au réfrigérateur, recouvertes d'un torchon propre légèrement humide.

PÂTE À CRÊPES AUX CACAHUÈTES

4 PERS. | **ÉLÉMENTAIRE** | **PEU COÛTEUSE**

Préparation : 10 min – Cuisson : 10 min – Repos : 45 min

100 G DE CACAHUÈTES SANS PEAU / 20 G DE BEURRE DOUX / 2 ŒUFS / 125 G DE FARINE / 25 G DE FÉCULE DE MAÏS / 1 CUIL. À SOUPE DE SUCRE EN POUDRE /20 CL DE LAIT DEMI-ÉCRÉMÉ / SEL.

o Si les cacahuètes sont salées, les plonger 2 minutes dans une casserole d'eau bouillante et les égoutter. Hacher les cacahuètes.

o Faire fondre le beurre.

o Dans un saladier, battre les œufs avec la farine, la fécule de maïs, le sucre et du sel. Verser le lait et le beurre fondu, mixer jusqu'à ce qu'il n'y ait plus de grumeaux.

o Couvrir d'un torchon propre et laisser reposer 45 minutes à l'abri des courants d'air.

o Avant de cuire les crêpes, ajouter délicatement les cacahuètes.

o Faire cuire les crêpes une à une dans une poêle légèrement huilée.

ASTUCE

On peut remplacer les cacahuètes par des amandes mondées hachées.

PÂTE À CRÊPES À LA FARINE DE CHÂTAIGNE

4 PERS.   **FACILE**   **RAISONNABLE**

Préparation : 10 min – Cuisson : 15 min – Repos : 30 min

100 G DE FARINE DE CHÂTAIGNE / 150 G DE FARINE DE BLÉ / 6 ŒUFS / 125 G DE BEURRE DEMI-SEL / 2 CUIL. À SOUPE D'HUILE DE TOURNESOL / 50 CL DE LAIT DEMI-ÉCRÉMÉ.

o Dans un petit saladier, mélanger les 2 farines.
o Dans un grand saladier, battre les œufs puis verser en pluie le mélange de farine. Battre régulièrement jusqu'à ce que la pâte soit homogène, sans grumeaux.
o Faire fondre le beurre à feu doux et le laisser refroidir quelques minutes. Ajouter l'huile puis verser le mélange sur la préparation. Battre énergiquement puis ajouter le lait petit à petit, en mélangeant régulièrement.
o Couvrir d'un torchon propre et laisser reposer 30 minutes.
o Faire cuire dans une poêle antiadhésive légèrement huilée.

PÂTE À CRÊPES AU LAIT DE COCO

4 PERS.   **ÉLÉMENTAIRE**   **RAISONNABLE**

Préparation : 5 min – Cuisson : 15 min

250 G DE FARINE DE RIZ / 1 ŒUF / 25 CL DE LAIT DE COCO / 10 CL DE LAIT DE VACHE DEMI-ÉCRÉMÉ / UNE PINCÉE DE SEL.

o Verser la farine et le sel dans un saladier. Former un puits et y verser l'œuf entier et le lait de coco. Battre le tout jusqu'à ce que la pâte soit homogène et qu'il n'y ait pas de grumeaux. Ajouter un peu de lait de vache si la consistance de la pâte est trop épaisse. La pâte doit avoir la même consistance qu'une pâte à crêpes classique.
o Faire cuire dans une poêle antiadhésive légèrement huilée.

ASTUCE

Si le lait de coco est en partie solidifié, faire chauffer les morceaux solidifiés dans une casserole à feu doux jusqu'à ce qu'ils fondent.

LES CRÊPES VENUES D'AILLEURS

Les crêpes sont présentes tout autour de la planète :
en Asie, en Amérique latine, en Afrique... Faisons un petit tour d'horizon.
Les tortillas sont des crêpes mexicaines faites à partir de farine de blé.
Elles sont farcies puis roulées et servent ainsi à la préparation des burritos et des fajitas.
Les tacos sont également d'origine mexicaine. Ils sont préparés à base de farine de maïs et vendus pliés en deux, prêts à farcir. Contrairement aux tortillas, qui ont la même consistance que des crêpes, les tacos sont croustillants.
Les crêpes de riz sont d'origine asiatique. Ce sont des crêpes très fines, presque transparentes, qui servent notamment à la préparation des rouleaux de printemps.
Les chapatis nous viennent d'Inde. Elles sont à base de farine, de beurre et de yaourt.
Les chapatis sont de couleur brune après leur cuisson.
Les crêpes à base de lait de coco sont aussi d'origine asiatique.
Ces crêpes sont une excellente alternative aux crêpes traditionnelles
si vous êtes allergique aux produits laitiers.

PÂTE À CRÊPES SANS BLÉ ET SANS LAIT DE VACHE

4 PERS.	FACILE	RAISONNABLE

Préparation : 10 min – Cuisson : 15 min

100 G DE FARINE DE CHÂTAIGNE / 100 G DE FÉCULE DE MAÏS / 25 G DE SUCRE EN POUDRE / 2 ŒUFS / 25 CL DE LAIT DE CHÈVRE, DE SOJA OU D'AMANDES / SEL.

o Dans un saladier, mélanger la farine de châtaigne, la fécule de maïs, le sucre et une pincée de sel.
o Dans le bol du mixeur, verser la moitié de ce mélange puis les œufs. Mixer puis verser en pluie le reste de farine-fécule de maïs-sucre en poudre. Mixer puis verser le lait. Mixer à nouveau.
o Faire cuire les crêpes une à une dans une poêle légèrement huilée.

PÂTE À CRÊPES SANS MATIÈRES GRASSES

4 PERS.	ÉLÉMENTAIRE	PEU COÛTEUSE

Préparation : 5 min – Cuisson : 15 min

4 ŒUFS / 500 G DE FARINE / 1 L DE LAIT / 6 CUIL. À SOUPE DE SUCRE EN POUDRE / 1 CUIL. À SOUPE D'EAU DE FLEUR D'ORANGER (FACULTATIF).

o Dans un saladier, battre les œufs et ajouter la farine en pluie tout en mixant régulièrement.
o Délayer le mélange en versant le lait froid sur la préparation. Mixer.
o Ajouter le sucre en poudre et éventuellement l'eau de fleur d'oranger.
o Faire cuire les crêpes, sans graisse, à feu doux, dans une poêle antiadhésive.

PÂTE À CRÊPES SANS ŒUF

4 PERS.	ÉLÉMENTAIRE	PEU COÛTEUSE

Préparation : 10 min – Cuisson : 20 min

15 G DE BEURRE / 200 G DE FARINE DE BLÉ / 180 G DE FÉCULE DE POMME DE TERRE / 1 SACHET DE LEVURE CHIMIQUE / 1 L DE LAIT / UNE PINCÉE DE SEL.

o Faire fondre le beurre.
o Dans un saladier, mélanger la farine, la fécule de pomme de terre, la levure et le sel. Former un puits et verser le lait petit à petit en battant à chaque fois.
o Quand le mélange est homogène, ajouter le beurre fondu et battre une nouvelle fois.
o Faire cuire dans une poêle antiadhésive légèrement huilée.

ASTUCE

Parfumer avec quelques graines de cumin ou de fenouil.

PÂTE À CRÊPES À BASE DE PAIN

◎	!	€
4 PERS.	FACILE	RAISONNABLE

Préparation : 15 min – Cuisson : 15 min – Repos : 30 min

250 G DE PAIN RASSIS, SANS CROÛTE / 50 CL DE LAIT / 3 ŒUFS / 2 CUIL. À SOUPE DE FÉCULE DE MAÏS / 40 G DE SUCRE ROUX / 1 CUIL. À SOUPE D'EAU DE FLEUR D'ORANGER (FACULTATIF) / 1/2 CUIL. À CAFÉ DE CANNELLE / 1/2 CUIL. À CAFÉ DE VANILLE / UNE PINCÉE DE SEL.

o Piler le pain rassis. Faire chauffer le lait dans une casserole et le retirer du feu aux premiers bouillons. Verser aussitôt le lait sur le pain. Laisser reposer 30 minutes avant de mixer.

o Verser les jaunes d'œufs et battre énergiquement. Ajouter la fécule de maïs, le sucre, l'eau de fleur d'oranger et les épices ; mélanger intimement, battre avec un mixeur s'il y a des grumeaux.

o Dans un récipient à part, battre les blancs en neige avec une pincée de sel et les incorporer délicatement à la préparation.

o Faire cuire dans une poêle antiadhésive légèrement huilée ou beurrée.

PÂTE À CRÊPES MOELLEUSES

◎	!	€
4 PERS.	FACILE	PEU COÛTEUSE

Préparation : 15 min – Cuisson : 17 min – Repos : 30 min

50 G DE BEURRE / 300 G DE FARINE / 3 ŒUFS + 1 BLANC / 3 CUIL. À SOUPE DE SUCRE EN POUDRE / 2 CUIL. À SOUPE D'HUILE DE TOURNESOL OU D'OLIVE / 1/2 L DE LAIT DEMI-ÉCRÉMÉ / SEL.

o Faire fondre le beurre. Dans un saladier, verser la farine et former un puits. Casser les 3 œufs et les verser dans le puits, ainsi que le sucre, le beurre fondu et l'huile. Mélanger avec un fouet.

o Verser le lait petit à petit, en battant le mélange à chaque fois pour éviter la formation de grumeaux. Laisser reposer 30 minutes, après avoir recouvert le saladier d'un torchon propre.

o Avant la cuisson, battre le blanc d'œuf en neige avec une pincée de sel. L'incorporer délicatement à la préparation.

o Faire cuire les crêpes une à une dans une poêle légèrement huilée.

PÂTE À CRÊPES VIETNAMIENNES

4 PERS.	ÉLÉMENTAIRE	RAISONNABLE

Préparation : 10 min – Cuisson : 15 min – Repos : 1 h

130 G DE FARINE DE RIZ / 50 G DE FÉCULE DE MAÏS / 20 G DE FARINE DE BLÉ / 1 CUIL. À SOUPE D'HUILE DE SÉSAME / SEL.

o Dans un saladier, mélanger la farine de riz, la fécule de maïs et la farine de blé avec une pincée de sel.

o Dans une casserole, faire tiédir 50 cl d'eau puis la verser dans le saladier. Ajouter l'huile et battre jusqu'à obtention d'une pâte sans grumeaux et fluide.

o Laisser reposer 1 heure.

o Faire cuire dans une poêle légèrement huilée.

ASTUCE

Ajouter au choix une épice : safran, curry, poudre de cardamome.

PÂTE À CRÊPES MAROCAINES

4 PERS.	FACILE	PEU COÛTEUSE

Préparation : 10 min – Cuisson : 20 min – Repos : 2 h

90 CL DE LAIT / 500 G DE SEMOULE EXTRAFINE / 3 SACHETS DE LEVURE DE BOULANGER / 3 JAUNES D'ŒUFS / 1 CUIL. À SOUPE DE GRAINES DE CUMIN (FACULTATIF) / DEUX PINCÉES DE SEL.

o Faire tiédir le lait dans une casserole.

o Dans un saladier, verser la semoule, la levure de boulanger et le sel. Verser les jaunes d'œufs et mélanger. Ajouter le lait tiède et mélanger intimement. Verser les graines de cumin et mélanger.

o Couvrir d'un torchon et laisser gonfler 2 heures.

o Faire chauffer une poêle antiadhésive, sans matière grasse. Faire cuire les crêpes d'un seul côté, des dizaines de petits trous vont se former à la surface. Retirer du feu quand la crêpe est cuite.

CRÊPES CAMPAGNARDES

4 PERS.   **FACILE**   **RAISONNABLE**

Préparation : 15 min – Cuisson : 30 min

4 POMMES DE TERRE / 10 BRINS DE CIBOULETTE / 4 CUIL. À SOUPE DE CRÈME FRAÎCHE ÉPAISSE / 1 GOUSSE D'AIL / 200 G DE CHAMPIGNONS DE PARIS / 150 G DE LARDONS FUMÉS / 4 GALETTES DE BLÉ NOIR (P. 20) / 75 G DE FROMAGE RÂPÉ / SEL, POIVRE.

o Éplucher les pommes de terre, les rincer et les couper en rondelles. Les faire cuire à la vapeur 10 minutes. Réserver.

o Laver et ciseler la ciboulette, la mélanger avec la crème fraîche et une pincée de sel.

o Éplucher l'ail et l'écraser au presse-ail. Brosser les champignons, supprimer les parties abîmées et les couper en quartiers. Faire revenir pendant 10 à 15 minutes les champignons avec les lar-dons dans une poêle. À la fin de la cuisson, ajouter l'ail et mélanger.

o Faire chauffer les galettes de sarrasin, dans une poêle, avec une noisette de beurre. Déposer les rondelles de pomme de terre, verser les lardons, les champignons et le fromage râpé. Saler et poivrer.

o Rabattre 3 bords et servir.

ASTUCE

Accompagner de 1 cuillerée à soupe de crème fraîche à la ciboulette.

GALETTES COMPLÈTES

4 PERS.   **FACILE**   **RAISONNABLE**

Préparation : 5 min – Cuisson : 15 min

10 G DE BEURRE DEMI-SEL / 4 GALETTES DE BLÉ NOIR (P. 20) / 4 TRANCHES DE JAMBON BLANC / 100 G DE FROMAGE RÂPÉ / 4 ŒUFS / SEL, POIVRE.

o Faire fondre une noisette de beurre demi-sel dans une poêle. Étaler le beurre fondu sur toute la surface de la crêpière à l'aide d'une spatule en bois.

o Déposer la galette de sarrasin sans la casser, puis ajouter la tranche de jambon (avec ou sans la couenne selon les goûts).

o Saupoudrer un peu de fromage râpé sur le jambon de façon à former une couronne. Casser l'œuf et le verser au centre de cette couronne. Saler et poivrer.

o Quand l'œuf est presque cuit, rabattre 3 bords de la galette et poursuivre la cuisson. Au moment de servir, déposer une noisette de beurre demi-sel sur la galette.

ASTUCE

Voici le classique des classiques de toute bonne crêperie bretonne !

Crêpes et Galettes

CRÊPES AU BACON

4 PERS.   **FACILE**   **RAISONNABLE**

Préparation : 5 min − Cuisson : 15 min

6 BRANCHES DE CERFEUIL / 10 BRINS DE CIBOULETTE / 50 G DE PARMESAN / 4 ŒUFS / 10 CL DE CRÈME FRAÎCHE / 4 CRÊPES SALÉES (P. 16 À 27) / HUILE D'OLIVE / 12 TRANCHES DE BACON / SEL, POIVRE.

o Laver les herbes, les égoutter et les ciseler. Couper le parmesan en copeaux, à l'aide d'un couteau économe.
o Battre les œufs avec la crème fraîche, les herbes ciselées, du sel et du poivre.
o Dans une crêpière légèrement huilée, déposer 1 galette et 3 tranches de bacon. Laisser cuire jusqu'à ce que le bacon soit cuit (il doit onduler).

o En même temps, dans une poêle légèrement huilée, verser un quart des œufs battus et laisser cuire en remuant constamment avec une spatule en bois, de façon à obtenir des œufs brouillés. Arrêter la cuisson quand les œufs sont suffisamment cuits, selon les goûts de chacun.
o Hors du feu, verser les œufs brouillés sur le bacon grillé, saupoudrer de parmesan et rabattre les bords de la galette. Servir aussitôt.

GALETTES À L'ANDOUILLE

4 PERS.   **FACILE**   **RAISONNABLE**

Préparation : 10 min − Cuisson : 10 min

200 G D'ANDOUILLE / 1 GROS OIGNON / 10 G DE BEURRE DEMI-SEL / 1 CUIL. À CAFÉ D'ORIGAN / 4 GALETTES (P. 20) / 4 CUIL. À CAFÉ DE CRÈME FRAÎCHE ÉPAISSE (FACULTATIF) / SEL, POIVRE DU MOULIN.

o Couper l'andouille en rondelles fines.
o Éplucher l'oignon et l'émincer. Faire revenir l'oignon dans le beurre à feu moyen. Quand les oignons deviennent transparents, ajouter les rondelles d'andouille et laisser cuire 5 minutes.

Saupoudrer d'origan ; saler et poivrer.
o Répartir cette préparation dans 4 galettes tièdes, les plier en quatre. Déposer 1 cuillerée à café de crème fraîche et poivrer.

CANNELLONIS DE CRÊPE

4 PERS.   **FACILE**   **RAISONNABLE**

Préparation : 20 min – Cuisson : 45 min

10 CRÊPES SALÉES (PP. 16 À 27) / 2 OIGNONS / 3 GOUSSES D'AIL / 1 CUIL. À SOUPE D'HUILE D'OLIVE / 100 G DE LARDONS FUMÉS / 1 CUIL. À CAFÉ D'HERBES DE PROVENCE / 1 CUIL. À CAFÉ D'ORIGAN / 50 CL DE COULIS DE TOMATES /1 CUIL. À CAFÉ DE SUCRE EN POUDRE / 200 G DE BŒUF HACHÉ / 60 G DE PARMESAN RÂPÉ / SEL, POIVRE.

o Couper chaque crêpe en deux et réserver.

o Éplucher les oignons et l'ail, les émincer finement.

o Dans un faitout, faire dorer les oignons avec l'huile d'olive pendant 7 minutes environ, remuer régulièrement.

o Ajouter les lardons, l'ail, les herbes de Provence et l'origan. Laisser mijoter à feu moyen 2 minutes puis verser le coulis de tomates et le sucre. Mélanger et laisser mijoter à feu doux 10 minutes. Saler et poivrer.

o Réserver les deux tiers de la sauce, verser le bœuf haché dans le faitout, mélanger et laisser cuire à feu moyen 10 minutes.

o Au centre de chaque demi-crêpe, déposer 2 à 3 cuillerées à soupe de bœuf à la tomate et rouler la crêpe de façon à obtenir un cannelloni.

o Disposer ainsi tous les cannellonis dans un plat à gratin.

o Recouvrir de sauce tomate et saupoudrer de parmesan râpé.

o Enfourner à 160 °C (th. 5-6) et laisser cuire 15 minutes.

Crêpes et Galettes

CRÊPES À LA BOLOGNAISE
FAÇON LASAGNES

4 PERS.   FACILE   RAISONNABLE

Préparation : 20 min – Cuisson : 40 min

1 KG DE TOMATES FRAÎCHES / 2 OIGNONS / 3 GOUSSES D'AIL / 1 CUIL. À SOUPE DE THYM / 1 BRANCHE DE ROMARIN / 2 CUIL. À SOUPE D'HUILE D'OLIVE / 2 CUIL. À SOUPE DE VINAIGRE BALSAMIQUE / 2 CUIL. À SOUPE DE SUCRE EN POUDRE / 1 CUIL. À SOUPE DE PIMENT EN POUDRE / 400 G DE BŒUF HACHÉ / ENVIRON 8 CRÊPES (RECETTE DE PÂTE À CRÊPES SANS ŒUF, P. 24) / 50 G DE FROMAGE RÂPÉ OU DE PARMESAN / SEL, POIVRE.

o Inciser les tomates, les plonger quelques secondes dans l'eau bouillante avant de les égoutter, puis les peler et les épépiner.

o Éplucher et émincer les oignons et l'ail.

o Dans un faitout, faire dorer les oignons et l'ail avec le thym et le romarin dans l'huile d'olive pendant 7 à 10 minutes en remuant.

o Ajouter les tomates, le vinaigre, le sucre, le piment, du sel et du poivre. Laisser cuire 5 minutes à feu doux en remuant.

o Ajouter la viande petit à petit. Laisser mijoter 10 minutes à feu doux.

o Retirer la branche de romarin.

o Dans un plat à gratin légèrement huilé, déposer 1 ou 2 crêpes selon la taille du plat. Badigeonner de sauce et couvrir de crêpes.

o Renouveler l'opération jusqu'à ce qu'il n'y ait plus de sauce. Terminer par une couche de sauce. Parsemer de fromage râpé et faire gratiner au four à 180 °C (th. 6) pendant 15 minutes.

GÂTEAU DE CRÊPES OCÉANIQUE

4 PERS. | **DIFFICILE** | **RAISONNABLE**

Préparation : 25 min – Repos : 1 h

1 CITRON / 2 AVOCATS / 4 BRANCHES DE BASILIC / 70 G DE FROMAGE BLANC / 70 G DE RICOTTA / 1 CUIL. À SOUPE DE CURRY DOUX / 100 G DE CHAIR DE CRABE / 200 G DE PETITES CREVETTES ROSES DÉCORTIQUÉES / 4 CRÊPES SALÉES (PP. 16 À 27) / SEL, POIVRE.

○ Presser le citron.
○ Éplucher les avocats et les couper en deux, ôter les noyaux et couper chaque moitié en lamelles. Arroser les lamelles de jus de citron.
○ Laver et essorer le basilic ; hacher les feuilles.
○ Dans un bol, mélanger le fromage blanc, la ricotta, le curry, la moitié de la chair de crabe et la moitié des crevettes. Saler et poivrer.

○ Dans un moule à gâteau rond, déposer une crêpe et y étaler la moitié de la préparation. Recouvrir d'une crêpe et répartir la moitié des lamelles d'avocat, la moitié du basilic, la moitié des crevettes restantes et de la chair de crabe. Saler et poivrer.
○ Renouveler ces deux opérations. Placer au frais 1 heure, couper dans le moule avant de servir.

GALETTES AUX CREVETTES FLAMBÉES AU WHISKY

4 PERS. | **FACILE** | **RAISONNABLE**

Préparation : 10 min – Cuisson : 5 min

2 TIGES DE CIBOULE / 2 GOUSSES D'AIL / 1 ÉCHALOTE / 2 CUIL. À SOUPE D'HUILE D'OLIVE / 500 G DE CREVETTES ROSES DÉCORTIQUÉES / 10 CL DE WHISKY / 4 CRÊPES SALÉES (PP. 16 À 27) / SEL, POIVRE.

○ Ôter les parties abîmées de la ciboule et la hacher finement. Éplucher l'ail et l'échalote, les émincer.
○ Dans une poêle ou dans un wok, faire chauffer l'huile d'olive, y saisir les crevettes avec la ciboule, l'échalote et l'ail. Saler et poivrer.

○ Faire chauffer le whisky à feu doux dans une casserole. Pendant ce temps, répartir les crevettes dans les 4 crêpes, les plier.
○ Servir les assiettes à table, arroser de whisky et flamber aussitôt.

ASTUCE

Accompagner de légumes sautés au wok ou d'une salade de concombre à l'aneth.

GALETTES AUX FRUITS DE MER

4 PERS. | **FACILE** | **CHÈRE**

Préparation : 10 min – Cuisson : 10 min

3 TOMATES / 1 CITRON NON TRAITÉ / 2 BRANCHES DE CÉLERI / 3 CM DE GINGEMBRE FRAIS / 500 G DE FRUITS DE MER DÉCORTIQUÉS (MOULES, CREVETTES, COQUES, ETC.) / 1 CUIL. À SOUPE D'HUILE D'OLIVE / 4 CRÊPES AU LAIT DE COCO (P. 22) / SEL.

o Peler et épépiner les tomates, les couper en dés. Zester et presser le citron. Laver le céleri en branches et le couper en petits tronçons. Éplucher le gingembre et le râper.

o Dans un faitout, faire cuire ensemble à feu doux les fruits de mer, le céleri, les tomates, le gingembre, les zestes et le jus de citron et l'huile d'olive. Saler. Laisser mijoter 10 minutes, en remuant de temps en temps.

o Répartir les fruits de mer dans les crêpes au lait de coco chaudes. Plier.

ASTUCE

Servir accompagné d'une salade de chou chinois.

GALETTES AUX 4 FROMAGES

4 PERS. | **ÉLÉMENTAIRE** | **RAISONNABLE**

Préparation : 5 min – Cuisson : 5 min

1 CHÈVRE EN BÛCHE / 100 G DE GORGONZOLA / 100 G DE MOZZARELLA / 50 G DE PARMESAN / 4 GALETTES (P. 20) / 2 CUIL. À SOUPE D'ORIGAN.

o Couper le chèvre en rondelles, la mozzarella et le gorgonzola en petits morceaux. Râper le parmesan ou le détailler en copeaux à l'aide d'un couteau économe.

o Faire chauffer 1 galette dans une poêle. Répartir les morceaux de fromage au centre, saupoudrer d'origan. Quand le fromage commence à fondre, rabattre les bords et laisser cuire encore 2 à 3 minutes. Servir aussitôt.

ASTUCE

Accompagner d'une salade de tomates au basilic ou d'une salade verte bien croquante !

CRÊPES AUX ÉPINARDS

4 PERS. **FACILE** **RAISONNABLE**

Préparation : 10 min – Cuisson : 10 min – Repos : 30 min

600 G D'ÉPINARDS FRAIS / 100 G DE ROQUEFORT / 150 G DE FROMAGE DE BROUSSE OU DE RICOTTA / 100 G DE PIGNONS DE PIN / 4 CRÊPES SALÉES (PP. 16 À 27) OU 4 GALETTES (P. 20) / SEL, POIVRE.

o Laver les épinards, supprimer les parties abîmées des feuilles et faire cuire à la vapeur pendant 5 minutes. Verser les épinards dans un tamis et les presser avec une cuillère en bois afin de supprimer un maximum d'eau. Laisser s'égoutter pendant 30 minutes.

o Émietter le roquefort avec une fourchette. Mixer les épinards avec le fromage de brousse, du sel et du poivre. Dans un saladier, mélanger les épinards mixés avec les pignons de pin et le roquefort.

o Répartir cette préparation sur les 4 crêpes chaudes, les plier et servir aussitôt.

ASTUCE

Rouler les crêpes au lieu de les plier, les placer dans un plat à gratin. Couvrir de béchamel et de parmesan et faire gratiner quelques minutes au four.

GALETTES ESPAGNOLES

4 PERS.   FACILE   RAISONNABLE

Préparation : 10 min − Cuisson : 20 min

4 POMMES DE TERRE / 75 G DE CHORIZO / UNE POIGNÉE D'OLIVES NOIRES / 12 QUARTIERS DE TOMATES CONFITES / 2 À 3 CUIL. À SOUPE D'HUILE D'OLIVE / 4 GALETTES (P. 20) / 4 ŒUFS / SEL, POIVRE.

o Éplucher les pommes de terre, les couper en rondelles et les faire cuire au cuit-vapeur 10 minutes.

o Enlever la peau du chorizo et le couper en rondelles. Hacher finement les olives et les tomates confites.

o Procéder de la façon suivante pour chaque galette : faire chauffer la poêle avec un filet d'huile d'olive. Répartir l'huile sur toute la surface de la poêle.

o Déposer 1 galette et, au centre, verser quelques rondelles de pomme de terre et de chorizo. Saupoudrer d'olives et de tomates confites hachées. Laisser chauffer 2 à 3 minutes ; pendant ce temps, battre 1 œuf dans un bol, avec une pincée de sel et de poivre.

o Quand les pommes de terre sont chaudes, verser l'œuf battu et laisser cuire 3 à 5 minutes, jusqu'à ce que l'œuf soit cuit.

o Rabattre les bords de la galette et servir aussitôt.

GALETTES GRECQUES

4 PERS.   ÉLÉMENTAIRE   RAISONNABLE

Préparation : 10 min − Cuisson : 5 min

1 POIVRON ROUGE / 2 TOMATES CŒUR-DE-BŒUF / 4 BRANCHES DE BASILIC / 1 OIGNON ROUGE / 160 G DE FETA / 4 GALETTES (P. 20) OU CRÊPES SALÉES (PP. 16 À 27) / 30 G D'OLIVES NOIRES DÉNOYAUTÉES / 4 CUIL. À SOUPE D'HUILE D'OLIVE VIERGE EXTRA / SEL, POIVRE.

o Laver le poivron et les tomates, les couper en rondelles, après les avoir épépinés. Laver et hacher le basilic. Éplucher et émincer l'oignon rouge. Couper la feta en morceaux.

o Chauffer chaque galette dans une crêpière légèrement huilée. Déposer quelques rondelles

de tomate et de poivron, de la feta, du basilic et des olives. Saler et poivrer. Laisser cuire 2 à 3 minutes, rabattre les bords.

o Servir dans l'assiette, arroser de 1 cuillerée à soupe d'huile d'olive et saupoudrer quelques morceaux d'oignon rouge.

ASTUCE

Accompagner d'une salade de concombre arrosée d'un filet d'huile d'olive et de jus de citron.

GALETTES INDIENNES

4 PERS.	FACILE	RAISONNABLE

Préparation : 15 min – Cuisson : 30 min – Marinade : 2 h

1 CUIL. À CAFÉ DE CURRY / 1 CUIL. À CAFÉ DE MASSALA / 1 CUIL. À CAFÉ DE CUMIN EN POUDRE / 2 YAOURTS / 4 ESCALOPES DE POULET / 4 CAROTTES / LE JUS DE 1 CITRON / 2 CUIL. À SOUPE D'HUILE D'OLIVE / 1 CUIL. À CAFÉ DE CANNELLE EN POUDRE / 4 CRÊPES SALÉES (PP. 16 À 27) OU AU LAIT DE COCO (P. 22) / SEL.

o Mélanger dans un saladier le curry, le massala et le cumin avec les yaourts. Découper les escalopes de poulet en morceaux de 3 à 4 cm et les verser dans le saladier. Mélanger et laisser mariner 2 heures au frais.

o Faire cuire le poulet avec toute la sauce dans un faitout, sans matière grasse. Remuer régulièrement et laisser cuire 10 à 15 minutes.

o Éplucher les carottes et les couper en rondelles. Dans un bol, mélanger le jus de citron, l'huile d'olive, la cannelle ; saler. Faire cuire les carottes à couvert dans une casserole avec cet assaisonnement. Ajouter un peu d'eau si besoin.

o Répartir le poulet sur 4 crêpes. Rabattre les bords. Servir avec les carottes.

GALETTES ITALIENNES

4 PERS.	FACILE	RAISONNABLE

Préparation : 10 min – Cuisson : 5 min

12 QUARTIERS D'ARTICHAUT POIVRADE À L'HUILE / 12 QUARTIERS DE TOMATE CONFITE / 4 BRANCHES DE BASILIC / 50 G DE PARMESAN / 4 TRANCHES DE JAMBON DE PARME / 4 GALETTES (P. 20) / 4 CUIL. À SOUPE D'HUILE D'OLIVE / SEL, POIVRE.

o Égoutter les artichauts poivrade et les tomates confites sur du papier absorbant. Laver et égoutter le basilic, détacher les feuilles une par une.

o Couper le parmesan en copeaux.

o Avec les doigts, déchirer les tranches de jambon de Parme afin d'obtenir des petites lamelles irrégulières, façon chiffonnade de jambon.

o Pour chaque galette, faire chauffer 1 cuillerée à café d'huile d'olive dans une crêpière et l'étaler avec une spatule en bois. Répartir les morceaux de jambon de Parme, les artichauts poivrade, les tomates confites, le basilic et les copeaux de parmesan. Saler et poivrer.

o Rabattre les 4 bords, arroser d'un trait d'huile d'olive et parsemer de feuilles de basilic.

ASTUCE

Accompagner d'une salade de tomates à la mozzarella.

Crêpes et Galettes

GALETTES MEXICAINES

◎	!	€
4 PERS.	DIFFICILE	CHÈRE

Préparation : 15 min – Cuisson : 25 min

3 TOMATES / 2 OIGNONS / 1 PETIT PIMENT / 2 CUIL. À SOUPE D'HUILE D'OLIVE / 1 CUIL. À SOUPE DE VINAIGRE DE VIN / 3 CUIL. À SOUPE DE SUCRE EN POUDRE / 1 POIVRON / 400 G DE BŒUF (FILET) / 100 G DE MAÏS / 4 GALETTES (P. 20) / SEL, POIVRE.

o Préparer la sauce salsa : peler et épépiner les tomates, les couper en dés. Éplucher et émincer les oignons. Fendre le piment, supprimer les graines et le couper le plus finement possible.

o Dans une casserole, faire dorer les oignons avec 1 cuillerée à soupe d'huile d'olive. Ajouter les tomates, le vinaigre, le sucre et le piment. Saler légèrement. Laisser mijoter 10 minutes à feu doux.

o Laver le poivron, le couper en quartiers et le faire griller au four à 180 °C (th. 6) pendant 10 minutes environ. Quand la peau est cou-verte de cloques noires, retirer le poivron et mettre les quartiers dans un sac alimentaire spécial congélation. Laisser refroidir, puis éplucher la peau noircie. Couper le poivron en lanières.

o Couper le bœuf en petits morceaux. Dans une poêle, faire revenir, dans le reste d'huile, le bœuf avec le poivron et le maïs. Saler et poivrer.

o Répartir ce mélange dans 4 galettes. Rabattre les bords et accompagner de sauce salsa.

GALETTES DE PARIS

◎	!	€
4 PERS.	FACILE	PEU COÛTEUSE

Préparation : 20 min – Cuisson : 30 min

250 G DE CHAMPIGNONS DE PARIS / LE JUS DE 1 CITRON / 2 GOUSSES D'AIL / 1/2 BOUQUET DE PERSIL FRISÉ / 1 NOIX DE BEURRE / 2 CUIL. À SOUPE DE CRÈME FRAÎCHE ÉPAISSE / 4 GALETTES (P. 20) / 4 TRANCHES DE JAMBON BLANC SANS COUENNE / 75 G D'EMMENTAL RÂPÉ (FACULTATIF) / SEL, POIVRE.

o Nettoyer les champignons et les couper en fines lamelles. Arroser de jus de citron au fur et à mesure. Éplucher et émincer l'ail. Rincer et ciseler le persil.

o Dans une casserole, faire réduire les champignons avec le beurre pendant 20 minutes en remuant régulièrement. Ajouter l'ail et le persil en milieu de cuisson. Quand les champignons ont réduit, ajouter la crème fraîche, du sel et du poivre.

o Dans une poêle, faire chauffer 1 galette avec une tranche de jambon au centre. Verser les champignons à la crème et saupoudrer d'emmental râpé. Rabattre les bords et laisser 2 à 3 minutes sur le feu. Servir aussitôt.

o Renouveler l'opération pour les 3 autres galettes.

GALETTES AU MAGRET DE CANARD

4 PERS. | **FACILE** | **CHÈRE**

Préparation : 10 min – Cuisson : 10 min

2 POIRES PAS TROP MÛRES / 2 CUIL. À SOUPE DE VINAIGRE BALSAMIQUE / 4 CUIL. À SOUPE DE MIEL LIQUIDE / 1 NOIX DE BEURRE / 200 G DE MAGRETS DE CANARD FUMÉS / HUILE / 4 GALETTES (P. 20) OU CRÊPES SALÉES (PP. 16 À 27) / FLEUR DE SEL, POIVRE DU MOULIN.

o Éplucher les poires et les couper en lamelles de 1 cm d'épaisseur après avoir supprimé les pépins. Dans un bol, mélanger le vinaigre balsamique et le miel.
o Dans une poêle, faire fondre le beurre et faire revenir pendant 5 à 7 minutes les poires avec le mélange miel-vinaigre balsamique. Remuer avec une cuillère en bois, en veillant à ne pas casser les lamelles de poire.

o Couper le magret de canard en fines tranches.
o Dans une crêpière légèrement huilée, déposer 1 galette et répartir un quart des lamelles de poire et un quart des tranches de magret de canard. Saupoudrer de fleur de sel et de poivre.
o Plier la galette.

ASTUCE

Accompagner d'une salade de fenouil ou d'une salade verte assaisonnée.

CRAPAUD DANS LE TROU
DE MAMIE NANETTE

4 PERS. | **FACILE** | **RAISONNABLE**

Préparation : 10 min – Cuisson : 35 min

50 G DE BEURRE / 4 ŒUFS / 30 CL DE LAIT / 100 G DE FARINE / 50 G DE PARMESAN RÂPÉ / 1 CUIL. À SOUPE D'HERBES DE PROVENCE / 4 CHIPOLATAS / 4 MERGUEZ / HUILE D'OLIVE / SEL.

o Faire fondre le beurre.
o Dans un blender, mixer ensemble les œufs, le lait et le beurre fondu. Ajouter la farine tamisée petit à petit, en mixant régulièrement.
o Quand il n'y a plus de grumeaux, verser le parmesan, les herbes de Provence et une pincée de sel et mixer rapidement.

o Dans un grand plat à gratin légèrement huilé, alterner les chipolatas et les merguez, puis verser la préparation.
o Enfourner à 210 °C (th. 7) et laisser cuire 35 minutes à four chaud.

ASTUCE

Accompagner de salade de tomates.
On peut remplacer les merguez et/ou les chipolatas par des poivrons,
des aubergines et des courgettes préalablement grillés au four.

Crêpes et Galettes

GALETTES RACLETTE

◎	(!)	€
4 PERS.	ÉLÉMENTAIRE	RAISONNABLE

Préparation : 10 min – Cuisson : 20 min

6 POMMES DE TERRE / 100 G DE LARDONS / 2 CUIL. À SOUPE DE CRÈME FRAÎCHE ÉPAISSE / 4 TRANCHES DE JAMBON DE PAYS / 200 G DE FROMAGE À RACLETTE / 5 G DE BEURRE / 4 GALETTES (P. 20) / 1 CUIL. À CAFÉ DE CUMIN OU DE GRAINES DE MOUTARDE (FACULTATIF) / POIVRE DU MOULIN.

o Laver et éplucher les pommes de terre, les couper en rondelles. Faire cuire les pommes de terre à la vapeur 10 minutes.

o Dans une poêle, faire revenir les lardons sans matière grasse. Quand les lardons sont dorés, ajouter la crème fraîche et mélanger hors du feu.

o Couper les tranches de jambon de pays en lamelles et le fromage à raclette en morceaux.

o Dans une poêle, faire fondre le beurre et l'étaler sur toute la surface. Déposer la galette, puis les pommes de terre, les lardons à la crème, les lamelles de jambon et enfin le fromage à raclette. Poivrer et saupoudrer de graines de cumin ou de moutarde.

o Quand le fromage à raclette a fondu, rabattre les bords de la galette et servir.

GALETTES À LA MOZZARELLA

◎	(!)	€
4 PERS.	ÉLÉMENTAIRE	PEU COÛTEUSE

Préparation : 5 min – Cuisson : 10 min

4 TOMATES CŒUR-DE-BŒUF / 200 G DE MOZZARELLA / 50 G D'OLIVES VERTES DÉNOYAUTÉES / 8 QUARTIERS DE TOMATES SÉCHÉES / 4 GALETTES (P. 20) / 4 CUIL. À CAFÉ DE PESTO / SEL.

o Couper les tomates et la mozzarella en tranches. Hacher les olives. Émincer les tomates séchées en petits morceaux.

o Faire chauffer chaque galette dans une crêpière légèrement huilée, déposer une couche de rondelles de tomate avec une pincée de sel, puis une couche de mozzarella. Arroser de pesto, de tomates séchées et d'olives hachées.

o Plier la crêpe et laisser cuire 3 à 4 minutes.

ASTUCE

Servir avec une salade de roquette ou d'épinard.

GALETTES DE SAINT-JACQUES

4 PERS.   FACILE   CHÈRE

Préparation : 15 min – Cuisson : 30 min

3 POIREAUX / UNE PINCÉE DE MUSCADE EN POUDRE / 3 CUIL. À SOUPE DE CRÈME FRAÎCHE ÉPAISSE / 12 NOIX DE SAINT-JACQUES / 4 GALETTES (P. 20) / UNE NOISETTE DE BEURRE / FLEUR DE SEL.

o Préparer la fondue de poireau : laver les poireaux, supprimer les parties vertes les plus dures. Émincer le plus finement possible les poireaux en rondelles. Dans une casserole à fond épais, faire cuire les poireaux à feu très doux avec 5 cl d'eau et la muscade. Couvrir et laisser mijoter jusqu'à ce que les poireaux réduisent. Saler, ajouter la crème fraîche et mélanger. Réserver.

o Couper chaque noix de Saint-Jacques en deux afin d'obtenir deux « tranches » plus fines.

o Faire chauffer chaque galette dans une poêle avec le beurre. Tapisser le fond de la galette avec 2 cuillerées à soupe de fondue de poireau.

o Déposer les noix de Saint-Jacques et laisser cuire 2 à 3 minutes. Rabattre les bords de la galette, saupoudrer de fleur de sel et servir chaud.

ASTUCE

Saisir les noix de Saint-Jacques dans une poêle très chaude, avec un filet d'huile d'olive. Laisser griller 1 minute sur chaque face. Déposer les noix de Saint-Jacques sur la fondue de poireau, comme précédemment.

GALETTES DE POISSON ÉPICÉES

4 PERS.   FACILE   RAISONNABLE

Préparation : 15 min – Cuisson : 15 min – Marinade : 2 h

1/2 CHOU-FLEUR / 4 CUIL. À SOUPE DE CRÈME FRAÎCHE / 2 CUIL. À CAFÉ DE HOT CURRY / 8 FILETS DE MAQUEREAU (400 G) / 1 CITRON / 1 CUIL. À CAFÉ DE MÉLANGE QUATRE-ÉPICES / 4 GALETTES (P. 20) / SEL.

o Couper le chou-fleur en bouquets et les faire cuire à la vapeur 10 minutes environ. Mixer le chou-fleur avec la crème fraîche et 1 cuillerée à café de hot curry.

o Couper les filets de maquereau en tronçons de 1 cm de large. Presser le citron et arroser les morceaux de maquereau de jus de citron. Assaisonner de curry et de mélange quatre-

épices. Saler et mélanger. Laisser mariner au frais 1 à 2 heures.

o Faire chauffer chaque galette dans une crêpière légèrement huilée. Répartir les morceaux de maquereau cru et laisser cuire 3 à 4 minutes. Déposer un quart de la purée de chou-fleur au centre de la galette. Plier et servir immédiatement.

GALETTES AU CHAUD-FROID DE POULET

4 PERS. **FACILE** **RAISONNABLE**

Préparation : 5 min − Cuisson : 20 min

4 ESCALOPES DE POULET FERMIER / 3 GOUSSES D'AIL / 2 CUIL. À SOUPE D'HUILE D'OLIVE / 4 CUIL. À SOUPE DE CONCENTRÉ DE TOMATES / 1 CUIL. À CAFÉ DE SUCRE EN POUDRE / 3 BRANCHES D'ESTRAGON FRAIS / 150 G DE RICOTTA / 4 GALETTES (P. 20) OU CRÊPES SALÉES (PP. 16 À 27) / SEL, POIVRE.

○ Couper le poulet en petits morceaux. Éplucher l'ail et l'écraser avec un presse-ail.
○ Dans un faitout, faire cuire à feu moyen le poulet avec l'huile d'olive, le concentré de tomates, le sucre et l'ail. Remuer très régulièrement. Saler et poivrer. Ajouter un peu d'eau si besoin, mais le poulet doit cuire presque à sec.

○ Réduire le feu et laisser mijoter 10 minutes en remuant.
○ Laver et égoutter l'estragon, détacher les feuilles et les hacher. Mélanger l'estragon avec la ricotta, saler et poivrer.
○ Dans 4 galettes, répartir le poulet et rabattre les bords. Servir avec 1 cuillerée à soupe de ricotta.

RAVIOLIS DE CRÊPES À LA RICOTTA ET AUX ÉPINARDS

4 PERS. **ÉLÉMENTAIRE** **RAISONNABLE**

Préparation : 15 min − Cuisson : 10 min

PÂTE À CRÊPE SALÉE (PP. 16 À 17) / 300 G D'ÉPINARD FRAIS / 150 G DE RICOTTA / UNE PINCÉE DE MUSCADE RÂPÉE / HUILE D'OLIVE / 40 G DE PARMESAN EN COPEAUX / SEL.

○ Faire cuire 16 crêpes dans une poêle à pancake de 12 cm de diamètre.
○ Faire cuire les épinards à l'eau et les égoutter. Presser les épinards dans une passoire afin d'éliminer un maximum d'eau. Hacher les épinards puis les mélanger avec la ricotta et la muscade. Saler.

○ Dans chaque crêpe, déposer 1 cuillerée à soupe de farce et rabattre les bords de façon à obtenir un rectangle.
○ Servir avec un filet d'huile d'olive et quelques copeaux de parmesan.

ASTUCE

Accompagner d'une salade d'épinard frais ou de roquette.

GALETTES SAUCISSE

4 PERS.   ÉLÉMENTAIRE   RAISONNNABLE

Préparation : 5 min – Cuisson : 10 min

20 FEUILLES DE SALADE (FACULTATIF) / 4 SAUCISSES PUR PORC / 4 GALETTES BRETONNES (P. 20) / 4 CUIL. À SOUPE DE MOUTARDE À L'ANCIENNE.

o Laver les feuilles de salade, les égoutter et les conserver entières.

o Faire cuire les saucisses au gril ou au barbecue. En même temps, réchauffer les galettes dans une crêpière.

o Tapisser les galettes de moutarde, puis répartir les feuilles de salade sur toute la surface.

o Au centre, déposer la saucisse une fois qu'elle est cuite.

o Rabattre les bords situés aux extrémités de la saucisse, puis rouler la galette autour de la saucisse. La galette saucisse est prête à manger, avec les doigts !

Crêpes et Galettes

ASTUCE

C'est encore une recette typiquement bretonne.
On mange une « galette saucisse » sur le marché, sur une foire ou dans un fest-noz.
Chacun l'assaisonne comme il l'entend, avec de la moutarde, du ketchup...
ici, les feuilles de salade ajoutent un côté croquant et frais.

GALETTES DU SUD-OUEST

4 PERS.   **FACILE**   **CHÈRE**

Préparation : 15 min − Cuisson : 25 min

200 G DE CHAMPIGNONS DES BOIS OU DE CÈPES / 1 CUIL. À SOUPE D'HUILE D'OLIVE / 100 G DE GÉSIERS DE CANARD CUITS / 2 CUIL. À CAFÉ DE GELÉE DE PIMENT D'ESPELETTE / 4 CRÊPES SALÉES (PP. 16 À 27) OU 4 GALETTES (P. 20) / 4 TRANCHES DE FOIE GRAS CUIT OU MI-CUIT / FLEUR DE SEL, POIVRE.

o Brosser les champignons, les essuyer et supprimer les parties abîmées. Émincer les champignons.

o Dans une poêle, faire revenir pendant 15 à 20 minutes les champignons avec l'huile d'olive. Saler et poivrer en fin de cuisson.

o Ajouter les gésiers de canard coupés en petits morceaux et faire revenir 3 minutes à vif. Hors du feu, ajouter la gelée de piment d'Espelette et mélanger.

o Répartir la préparation dans les crêpes chaudes et les plier. Sur chaque crêpe, déposer 1 tranche de foie gras.

ASTUCE

Accompagner de pommes de terre sautées ou d'une salade de chicorée.

CRÊPES AU SAUMON

4 PERS.　ÉLÉMENTAIRE　RAISONNABLE

Préparation : 10 min – Cuisson : 5 min

2 CITRONS NON TRAITÉS / 4 CUIL. À SOUPE DE CRÈME FRAÎCHE ÉPAISSE / 4 CRÊPES SALÉES (PP. 16 À 27) / 4 TRANCHES DE SAUMON FUMÉ / 1 CUIL. À SOUPE D'ANETH / SALADE DE MÂCHE / SEL.

o Zester 1 citron, le verser dans un saladier avec la crème fraîche et le sel. Fouetter la crème. Couper le deuxième citron en quartiers.

o Dans la galette, déposer 1 tranche de saumon et 1 cuillerée à café de crème fouettée et saupoudrer d'aneth.

o Servir avec 1 cuillerée à café de crème fouettée, de la salade de mâche et des quartiers de citron.

CRÊPES AU THON

4 PERS.　FACILE　RAISONNABLE

Préparation : 10 min – Cuisson : 10 min

200 G DE THON FRAIS / 1 CUIL. À SOUPE DE GRAINES DE CORIANDRE / 1 CUIL. À SOUPE DE CURRY EN POUDRE / 1 BOÎTE DE LAIT DE COCO / 4 CRÊPES VIETNAMIENNES (P. 27).

o Supprimer la peau et les arêtes du thon. Faire cuire le thon à la vapeur. L'émietter avec une fourchette dans un bol.

o Moudre les graines de coriandre à l'aide d'un moulin à café. Verser le curry, la coriandre en poudre et le lait de coco dans le bol, mélanger avec le thon.

o Répartir la préparation sur les crêpes, les rouler et les réchauffer à feu doux dans une poêle.

ASTUCE

On peut remplacer le thon frais par une grande boîte de thon au naturel.

Crêpes et Galettes

CRÊPES SUCRÉES-SALÉES

4 PERS.   DIFFICILE   RAISONNABLE

Préparation : 20 min – Cuisson : 20 min

1 CUIL. À SOUPE DE GRAINES DE CUMIN / 400 G DE PORC SANS OS / 4 POMMES GOLDEN OU CANADA / 1 OIGNON / 1 CITRON NON TRAITÉ / 2 CUIL. À SOUPE D'HUILE D'OLIVE / 20 G DE SUCRE EN POUDRE / 1 CUIL. À SOUPE DE VINAIGRE DE FRAMBOISE / 4 CRÊPES SALÉES, MAROCAINES OU ASIATIQUES (P. 27) / SEL, POIVRE.

Moudre le cumin dans un moulin à café. Couper le porc en morceaux. Éplucher les pommes et l'oignon. Couper les pommes en morceaux et émincer l'oignon. Zester le citron.

Dans un wok, faire chauffer 1 cuillerée à soupe d'huile d'olive et y faire revenir l'oignon pendant 5 à 7 minutes. Quand l'oignon est doré, ajouter le porc et les pommes et arroser de 1 cuillerée à soupe d'huile d'olive, saler et poivrer. Laisser cuire 5 minutes en remuant constamment. Verser le cumin et le sucre. Laisser cuire encore 5 minutes en remuant régulièrement. Ajouter les zestes de citron et le vinaigre de framboise, mélanger et laisser cuire 2 minutes.

Répartir ce mélange dans les 4 crêpes chaudes. Plier les crêpes et servir aussitôt.

CRÊPES À LA VIETNAMIENNE

4 PERS.   FACILE   CHÈRE

Préparation : 10 min – Cuisson : 5 min

1 PAPAYE / 2 CAROTTES / 50 G DE POUSSES DE SOJA / 2 CUIL. À SOUPE D'HUILE D'OLIVE OU DE SÉSAME / 300 G DE CREVETTES ROSES DÉCORTIQUÉES / 2 CUIL. À SOUPE DE SAUCE DE SOJA / 4 CRÊPES VIETNAMIENNES (P. 27).

Éplucher la papaye, la couper en deux, supprimer les graines. Éplucher les carottes. Râper les carottes et la papaye. Mélanger à la main les carottes râpées, la papaye râpée et les pousses de soja.

Dans un wok, faire chauffer l'huile et saisir les crevettes et le mélange de carotte, papaye et pousses de soja. Laisser cuire 3 à 5 minutes en remuant constamment. Ajouter la sauce de soja.

Répartir ce mélange dans 4 crêpes vietnamiennes chaudes. Plier et servir.

TARTES AUX FRAMBOISES FRAÎCHES

4 PERS. **FACILE** **RAISONNABLE**

Préparation : 15 min

1 BARQUETTE DE FRAMBOISES FRAÎCHES / 100 G DE SUCRE EN POUDRE / 250 G DE POUDRE D'AMANDE / 50 G DE BEURRE DOUX / 1 CUIL. À SOUPE D'EAU DE FLEUR D'ORANGER / 4 CRÊPES / SUCRE GLACE (FACULTATIF).

o Rincer délicatement les framboises et les laisser égoutter sur du papier absorbant.

o Préparer la pâte d'amandes : dans un saladier, mélanger le sucre et la poudre d'amande. Ajouter le beurre mou en petits morceaux, ainsi que l'eau de fleur d'oranger. Malaxer avec les mains jusqu'à ce que la pâte soit homogène.

o Former 4 boules de taille identique.

o Placer les crêpes encore chaudes dans 4 assiettes à dessert.

o Émietter une boule de pâte d'amandes sur chaque crêpe. Disposer les framboises sur la pâte d'amandes, en les serrant le plus possible.

o Saupoudrer de sucre glace.

o Servir aussitôt, les crêpes doivent être encore tièdes.

CRÊPES À L'ABRICOT

4 PERS. **FACILE** **RAISONNABLE**

Préparation : 10 min – Cuisson : 15 min

16 ABRICOTS BIEN MÛRS / 10 G DE BEURRE / 8 CUIL. À SOUPE DE SUCRE ROUX / 50 G D'AMANDES EFFILÉES / 4 CRÊPES SUCRÉES, PARFUMÉES À LA FLEUR D'ORANGER (PP. 16 À 26) / 4 CUIL. À SOUPE DE CRÈME FRAÎCHE ÉPAISSE / 1 CUIL. À SOUPE DE CANNELLE.

o Laver les abricots, les couper en deux, supprimer les noyaux et couper les oreillons en lamelles.

o Faire revenir les lamelles d'abricot avec le beurre et la moitié du sucre dans une casserole, à feu moyen pendant 10 minutes. Remuer régulièrement avec une cuillère en bois.

o Dans une poêle, faire griller à sec les amandes effilées.

o Répartir les abricots dans 4 crêpes tièdes, saupoudrer d'amandes effilées grillées. Plier en quatre.

o Sur chaque crêpe, déposer une quenelle de crème fraîche. Saupoudrer de cannelle et du reste de sucre roux.

Crêpes et galettes

GÂTEAU DE CRÊPES AU CHOCOLAT

4 PERS. | **FACILE** | **RAISONNABLE**

Préparation : 25 min – Cuisson : 15 min

150 G DE CHOCOLAT NOIR / 20 CL DE CRÈME FRAÎCHE ÉPAISSE / 20 G D'ÉCORCES D'ORANGE CONFITES / 150 G DE CHOCOLAT AU LAIT / 50 G D'AMANDES CONCASSÉES / 150 G DE CHOCOLAT BLANC / 50 G DE NOISETTES CONCASSÉES / 9 CRÊPES SUCRÉES (PP. 16 À 26).

o Faire fondre au bain-marie le chocolat noir avec un tiers de la crème fraîche et les écorces d'orange confites.

o Faire fondre au bain-marie le chocolat au lait avec un tiers de la crème fraîche et les amandes concassées.

o Faire fondre au bain-marie le chocolat blanc avec le reste de la crème fraîche et les noisettes concassées.

o Dans un moule à manqué, déposer la première crêpe et la tartiner de chocolat noir fondu. Recouvrir d'une crêpe et la tartiner de chocolat au lait fondu. Recouvrir d'une nouvelle crêpe et la tartiner de chocolat blanc fondu. Renouveler l'opération jusqu'à ce qu'il n'y ait plus de crêpes.

o Manger tiède (réchauffé 5 minutes au four à 160 °C (th. 5-6), ou froid.

LES GOÛTERS D'ENFANT

Des crêpes au goûter ? Vous ne pouviez pas leur faire de plus grand plaisir !
Bien sûr, une crêpe toute chaude avec une bonne confiture ou une pâte à tartiner,
c'est un régal qu'on ait 7 ou 77 ans. Pensez à varier les garnitures avec des mélanges
moins sucrés, comme la compote de pommes à la coriandre, le confit de rhubarbe au
sirop d'érable ou les pêches de vigne au basilic.
N'oubliez pas de leur proposer quelques fruits frais pour accompagner ce petit
moment de bonheur.

S'ils sont assez grands, proposez-leur d'apprendre à faire les crêpes et à les cuire sans
se brûler. Cela augmentera encore leur plaisir de les manger !

Crêpes et Galettes

CRÊPES AUX MACARONS

4 PERS. | **FACILE** | **RAISONNABLE**

Préparation : 20 min − Cuisson : 30 min

4 PETITS MACARONS À LA CANNELLE (OU 4 SPÉCULOOS) / PÂTE À CRÊPES SUCRÉE POUR 4 CRÊPES (PP. 16 À 26) / 4 POMMES BOSKOOP / 10 G DE BEURRE DEMI-SEL / 20 G DE SUCRE ROUX / JUS DE CITRON.

o Ouvrir les macarons, retirer la crème et émietter les biscuits.

o Verser ces éclats dans la pâte à crêpes et faire cuire les crêpes dans une poêle anti-adhésive légèrement beurrée.

o Éplucher les pommes, les couper en morceaux.

o Dans une casserole à fond épais, faire fondre le beurre demi-sel avec le sucre et une goutte de jus de citron. Remuer avec une cuillère en bois.

o Quand le caramel s'est formé, verser les pommes et faire cuire à feu doux pendant 15 minutes.

o Répartir la compote de pommes dans les 4 crêpes, les plier et servir.

Crêpes et Galettes

62

GÂTEAU DE CRÊPES
À LA FAÇON DE MARIE-CHRISTINE

4 PERS. | **FACILE** | **PEU COÛTEUSE**

Préparation : 15 min – Cuisson : 20 min – Repos : 30 min

55 G DE BEURRE / 200 G DE FARINE / 2 ŒUFS / 2 CUIL. À SOUPE DE SUCRE EN POUDRE / 1 CUIL. À SOUPE D'HUILE DE TOURNESOL OU D'OLIVE / 33 CL DE LAIT DEMI-ÉCRÉMÉ / 2 BANANES / 5 CL DE RHUM / 100 G DE PISTACHES DÉCORTIQUÉES NON SALÉES OU 100 G D'AMANDES MONDÉES ET HACHÉES / SUCRE ROUX OU SIROP D'ÉRABLE / SEL.

o Faire fondre 35 g de beurre.

o Dans un saladier, verser la farine et former un puits.

o Casser les œufs et les verser dans le puits, ainsi que le sucre, le beurre fondu et l'huile. Mélanger avec un fouet.

o Verser le lait petit à petit, en battant le mélange à chaque fois. Laisser reposer 30 minutes, après avoir recouvert le saladier d'un torchon propre.

o Éplucher et couper les bananes en rondelles. Mettre les bananes dans la pâte à crêpes avec le rhum et les pistaches.

o Dans une sauteuse ou une poêle à bords hauts, faire fondre à feu moyen le reste de beurre. Verser toute la préparation et la faire cuire pendant 5 à 8 minutes.

o Quand le fond a bien pris, retourner d'un geste rapide la « crêpe » à l'aide d'une ou de deux spatules en bois.

o Servir chaud saupoudré de sucre roux ou arrosé de sirop d'érable.

LES TRADITIONS

De nombreuses croyances populaires entourent la réalisation des crêpes : les crêpes, par leur forme ronde et dorée, rappellent le disque solaire, évoquant le retour du printemps après l'hiver sombre et froid. Il existe toute une symbolique liée à la confection des crêpes. Par exemple, il est recommandé de faire sauter les crêpes de la main droite en serrant une pièce dans la main gauche. Si la crêpe retombe dans la crêpière, vous connaîtrez une année de prospérité. Une autre croyance veut que la première crêpe cuite soit envoyée sur une armoire pour que les récoltes à venir soient abondantes.

CRÊPES SOUFFLÉES

4 PERS.   **DIFFICILE**   **PEU COÛTEUSE**

Préparation : 30 min – Cuisson : 15 min

1 ORANGE NON TRAITÉE / 4 ŒUFS / 50 G DE SUCRE EN POUDRE / 20 G DE FARINE / 20 CL DE LAIT / 8 CRÊPES SUCRÉES (PP. 16 À 26) / 15 G DE BEURRE / SEL.

o Zester l'orange. Faire blanchir les zestes 1 minute dans une casserole d'eau bouillante ; égoutter les zestes.

o Battre les jaunes d'œufs avec le sucre jusqu'à ce que le mélange blanchisse. Verser la farine en pluie et battre énergiquement pour supprimer les éventuels grumeaux.

o Faire chauffer le lait dans une casserole ; aux premiers bouillons, le verser sur la préparation et fouetter aussitôt.

o Reverser le tout dans la casserole avec les zestes et porter à ébullition pendant 1 minute. Réduire le feu et mélanger jusqu'à ce que la crème s'épaississe.

o Battre les blancs en neige avec une pincée de sel. Ils doivent être très fermes. Incorporer les blancs délicatement.

o Étaler la crème sur la moitié de chaque crêpe et plier la crêpe en deux.

o Poser les crêpes sur une grille sans qu'elles se chevauchent et border les crêpes.

o Faire fondre le beurre et en badigeonner les crêpes. Faire cuire les crêpes pendant 10 minutes environ, à 200 °C (th. 6-7), jusqu'à ce qu'elles soient gonflées.

o Servir aussitôt.

LES ORIGINES DE LA CHANDELEUR

La célébration de la Chandeleur est d'origine judéo-chrétienne. En effet, la Chandeleur se célèbre le 2 février, soit 40 jours après la naissance du Christ. Les fidèles défilaient en procession avec des cierges allumés en souvenir de la purification de Marie. Les cierges, appelés chandelles, donnèrent leur nom à cette fête. Une autre croyance rapporte que, le 2 février 472, le pape Gélase 1er fit confectionner des galettes afin de nourrir un groupe de pèlerins qui venaient d'arriver à Rome, épuisés et affamés.

AUMÔNIÈRES DE THANKSGIVING

◎	!	€
4 PERS.	FACILE	RAISONNABLE

Préparation : 35 min – Cuisson : 25 min

150 G D'AIRELLES / 2 CUIL. À SOUPE DE SUCRE EN POUDRE / 2 CUIL. À SOUPE DE CRÈME FRAÎCHE / 500 G DE POMMES DE TERRE / 10 CL DE LAIT / 4 CUIL. À SOUPE D'HUILE D'OLIVE / UNE PINCÉE DE NOIX DE MUSCADE RÂPÉE / 4 ESCALOPES DE DINDE / HUILE D'OLIVE / 4 CRÊPES SALÉES (PP. 16 À 27) / FLEUR DE SEL, POIVRE.

o Préparer la sauce aux airelles : faire blanchir les airelles dans une casserole d'eau bouillante avec le sucre. Égoutter. Mixer les airelles et filtrer le coulis. Mélanger avec la crème fraîche et du sel. Réserver.

o Éplucher les pommes de terre et les couper en morceaux ; les faire cuire à la vapeur 10 minutes. Écraser les pommes de terre avec le lait, 3 cuillerées à soupe d'huile d'olive, du sel et la muscade râpée.

o Couper les escalopes en aiguillettes et les faire cuire à la poêle avec un trait d'huile d'olive. Saupoudrer de fleur de sel et de poivre du moulin. Les faire dorer sur tous les côtés.

o Dresser les aumônières : au centre de chaque crêpe, déposer un quart de la purée, quelques aiguillettes de dinde. Fermer les aumônières avec du fil alimentaire.

o Placer les aumônières dans un plat à gratin, couvrir d'une feuille de papier d'aluminium et passer au four à 180 °C (th. 6) 5 minutes.

o Servir avec la sauce aux airelles.

CRÊPES AU BEURRE DEMI-SEL ET AU CITRON

◎	!	€
4 PERS.	ÉLÉMENTAIRE	PEU COÛTEUSE

Préparation : 5 min – Cuisson : 5 min

1 CITRON NON TRAITÉ / 30 G DE BEURRE DEMI-SEL / 4 BRANCHES DE BASILIC FRAIS / 4 CRÊPES SALÉES (PP. 16 À 27) / POIVRE.

o Zester et presser le citron. Faire fondre le beurre dans une casserole avec le jus de citron et les zestes. Mélanger.

o Laver le basilic et détacher les feuilles une par une.

o Dans une poêle, verser le beurre fondu sur la crêpe, répartir quelques feuilles de basilic, poivrer.

o Rabattre les bords et servir chaud.

Crêpes
en plat

BLINIS À LA MOUSSE DE SÉSAME ET ŒUFS DE HARENG

4 PERS. **FACILE** **RAISONNABLE**

Préparation : 20 min – Cuisson : 10 min – Repos : 4 h

150 G DE CHOU-FLEUR / 2 FEUILLES DE GÉLATINE / 10 CL DE CRÈME FRAÎCHE / 4 CUIL. À SOUPE DE PURÉE DE SÉSAME (MAGASIN DIÉTÉTIQUE) / 2 CUIL. À SOUPE DE GRAINES DE SÉSAME / 12 MINIBLINIS / 10 CL D'ŒUFS DE HARENG (ÉPICERIE FINE) / SEL.

o Laver le chou-fleur et le couper en bouquets. Faire cuire le chou-fleur à la vapeur 10 minutes.

o Faire tremper la gélatine dans un bol d'eau froide selon le temps indiqué sur l'emballage. Égoutter les feuilles et les verser dans une casserole avec la crème fraîche.

o Faire chauffer à feu doux en remuant avec une cuillère en bois, jusqu'à ce que la gélatine soit dissoute.

o Mixer le chou-fleur avec la crème fraîche, la purée de sésame et une pincée de sel. Verser les graines de sésame et mélanger. Verser la préparation dans une terrine et placer au réfrigérateur pendant 4 heures.

o Au moment de servir, déposer 1 cuillerée à soupe de la mousse de sésame sur chaque blini chaud et la surmonter de 1 cuillerée à café d'œufs de hareng.

CHAUD-FROID DE POIS CASSÉS ET DE TOMATE À LA CORIANDRE

4 PERS. **FACILE** **RAISONNABLE**

Préparation : 40 min – Cuisson : 30 min – Repos : 1 nuit + 30 min

100 G DE POIS CASSÉS / 1 CUBE DE BOUILLON DE VOLAILLE / 10 CL DE CRÈME FRAÎCHE / 1 CUIL. À CAFÉ DE CUMIN EN POUDRE / 4 TOMATES / 10 BRANCHES DE CORIANDRE / 150 G DE RICOTTA / 4 CRÊPES SALÉES (PP. 16 À 26) / SEL.

o La veille, faire tremper les pois cassés dans une casserole d'eau salée.

o Le jour même, rincer les pois cassés et les verser dans une casserole avec le cube de bouillon, couvrir d'eau et porter à ébullition. Laisser cuire 1 heure, sans saler.

o Égoutter les pois cassés et les écraser à l'aide d'une fourchette avec la crème fraîche, le cumin et du sel.

o Peler et épépiner les tomates. Laver, égoutter et ciseler la coriandre. Mixer les tomates puis

les mélanger avec la ricotta, la coriandre et une pincée de sel. Former 4 portions et les placer au congélateur 30 minutes avant de servir.

o Dans chaque crêpe chaude, déposer 3 cuillerées à soupe de purée de pois cassés chaude et 1 portion de mousse de tomates à la coriandre bien glacée. Plier la crêpe et servir aussitôt.

CRÊPES À L'AGNEAU
ET LEUR MOUSSE DE MANGUE AU THÉ VERT

4 PERS. | **FACILE** | **CHÈRE**

Préparation : 30 min – Cuisson : 15 min

2 MANGUES / 4 CUIL. À SOUPE DE FROMAGE BLANC LISSE / 2 CUIL. À CAFÉ DE POUDRE DE THÉ VERT MATCHA / 500 G D'AGNEAU SANS OS / 2 GOUSSES D'AIL / 6 BRANCHES DE CORIANDRE / 1 CUIL. À SOUPE D'HUILE D'OLIVE / 4 CRÊPES SALÉES (P. 16 À 27) / SEL, POIVRE.

o Éplucher les mangues et détacher la chair du noyau avec un couteau. Mixer la chair avec le fromage blanc, une pincée de sel et la poudre de thé vert matcha. Fouetter 2 minutes avec un batteur électrique afin d'aérer la mousse.

o Couper l'agneau en morceaux. Éplucher l'ail et écraser les gousses dans un presse-ail. Laver et égoutter la coriandre, la ciseler.

o Dans un faitout, faire chauffer l'huile d'olive et y faire dorer les morceaux d'agneau avec l'ail. Saler et poivrer. Réduire le feu et ajouter la coriandre et 5 cl d'eau si besoin. Couvrir et laisser cuire 10 minutes en surveillant.

o Farcir les 4 crêpes d'agneau, plier les crêpes et les accompagner de mousse de mangue au thé vert.

CRÊPES ASIATIQUES AU BŒUF
À LA CITRONNELLE

4 PERS. | **FACILE** | **CHÈRE**

Préparation : 30 min – Cuisson : 20 min – Marinade : 1 à 2 h

400 G DE FILET DE BŒUF / 2 TIGES DE CITRONNELLE / 1 CUIL. À SOUPE DE SAUCE DE SOJA / 1 OIGNON / 1 POIVRON ROUGE / 1/2 BROCOLI / 2 CUIL. À SOUPE D'HUILE D'OLIVE / 4 CRÊPES (PÂTE À CRÊPE ASIATIQUE, P. 27) / 1 CUIL. À CAFÉ DE POUDRE DE THÉ VERT MATCHA (FACULTATIF) / SEL.

o Couper le bœuf en fines lanières. Émincer les deux tiges de citronnelle le plus finement possible, après avoir supprimé les parties abîmées. Dans un petit saladier, mélanger le bœuf, la citronnelle et la sauce de soja. Laisser mariner 1 à 2 heures au frais.

o Éplucher et émincer l'oignon. Laver le poivron et le brocoli. Couper le brocoli en tout petits bouquets, détailler le poivron en dés.

o Dans un wok, faire chauffer l'huile d'olive avec les oignons. Quand les oignons sont transparents, ajouter le poivron, le brocoli et du sel ; laisser cuire 5 minutes en remuant constamment avec une cuillère en bois. Ajouter la viande avec la citronnelle. Continuer la cuisson en remuant régulièrement. Quand le bœuf est cuit, retirer le wok du feu et répartir la garniture dans les 4 crêpes bien chaudes.

o Saupoudrer d'une pincée de poudre de thé vert matcha.

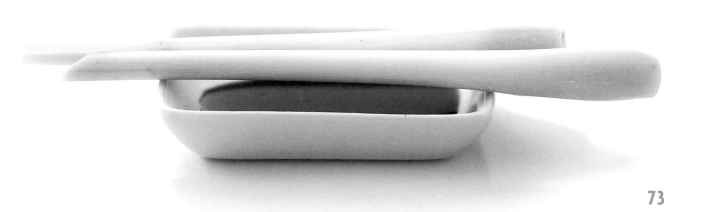

CRÊPES AU GUACAMOLE ET AU POULET PIMENTÉ

4 PERS.   **FACILE**   **CHÈRE**

Préparation : 20 min − Cuisson : 15 min

1 CITRON / 8 BRANCHES DE BASILIC / 3 GOUSSES D'AIL / 1 OIGNON / 2 AVOCATS / 3 ESCALOPES DE POULET FERMIER (400 G) / 1 CUIL. À SOUPE D'HUILE D'OLIVE / 25 CL DE COULIS DE TOMATES / 1/2 CUIL. À CAFÉ DE PÂTE DE PIMENT / 4 CRÊPES SALÉES (PP. 16 À 27) / SEL, POIVRE.

o Presser le citron. Laver, égoutter et hacher les feuilles de basilic. Éplucher l'ail et l'oignon, émincer le tout finement.

o Couper les avocats en deux, ôter les noyaux et récupérer la chair à l'aide d'une cuillère. Dans un bol, écraser l'avocat avec le jus de citron, le basilic et un tiers de l'ail. Saler, poivrer et mélanger.

o Émincer le poulet en aiguillettes. Dans un faitout, faire dorer l'oignon 5 minutes avec 1 cuillerée à soupe d'huile d'olive. Ajouter les morceaux de poulet et, quand ils sont dorés de tous les côtés, couvrir de coulis de tomates. Ajouter le reste de l'ail, la purée de piment, une pincée de sel et mélanger. Laisser mijoter 10 minutes en remuant régulièrement.

o Au centre de chaque crêpe bien chaude, disposer un quart du poulet pimenté et rouler la crêpe sur elle-même. Accompagner de guacamole.

CRÊPES DES VACANCES

4 PERS.   **DIFFICILE**   **RAISONNABLE**

Préparation : 30 min − Cuisson : 35 min

4 SARDINES FRAÎCHES / 1 POIVRON ROUGE / 2 POIGNÉES DE ROQUETTE / 1 OIGNON ROUGE / 1/2 BOUQUET DE BASILIC / 8 QUARTIERS DE TOMATE SÉCHÉE / 4 CRÊPES SALÉES (PP. 16 À 27) / 2 CUIL. À SOUPE D'HUILE D'OLIVE.

o Vider les sardines, couper les têtes et les queues. Faire griller les sardines au barbecue, à la poêle ou au four à 200 °C (th. 6-7) 3 à 5 minutes de chaque côté selon l'épaisseur. Réserver.

o Laver le poivron rouge, le couper en quartiers et supprimer les parties blanches et les graines. Faire griller le poivron au four à 180 °C (th. 6) pendant 15 minutes environ. Retirer et placer les quartiers de poivron dans un sac plastique alimentaire. Laisser refroidir. Éplucher les cloques noires et couper les poivrons en lamelles.

o Laver et essorer la roquette. Éplucher et couper l'oignon rouge en rondelles. Laver le basilic, l'égoutter et détacher les feuilles.

o Dans chaque crêpe, répartir les feuilles de roquette et de basilic, l'oignon, les tomates séchées et le poivron. Au centre, déposer une sardine grillée puis rouler la crêpe sur elle-même.

o Déposer les 4 crêpes dans un plat à gratin ; arroser d'huile d'olive et passer au four 10 minutes à 160 °C (th. 5-6).

CRÊPES MEXICAINES AU CHILI

4 PERS. | **FACILE** | **RAISONNABLE**

Préparation : 20 min – Cuisson : 1 h – Trempage : 1 nuit

50 G DE HARICOTS ROUGES SECS / 2 GOUSSES D'AIL / 1 PETIT PIMENT SEC / 1 OIGNON / 3 TOMATES / 1 POIVRON VERT / 1 CUIL. À SOUPE D'HUILE D'OLIVE / 200 G DE BŒUF HACHÉ / 4 CRÊPES SALÉES (PP. 16 À 27) OU 4 GALETTES (P. 20) / SEL.

o La veille, faire tremper les haricots rouges dans une casserole d'eau salée.

o Le jour même, égoutter et rincer les haricots ; les verser dans une grande casserole et les couvrir d'eau. Faire cuire 45 minutes, vérifier la cuisson. Égoutter les haricots et réserver.

o Éplucher l'ail et couper les gousses en quatre ; les piler avec le piment sec. Éplucher et émincer l'oignon. Peler et épépiner les tomates. Couper le poivron en petits morceaux, supprimer les graines et les parties blanches.

o Dans un faitout, faire revenir l'oignon et le poivron avec l'huile d'olive. Quand l'oignon est doré, ajouter le bœuf haché et remuer réguliè-rement. Verser 10 cl d'eau, les tomates coupées en dés, l'ail et le piment pilés, mélanger et laisser cuire 5 minutes. Ajouter les haricots rouges, mélanger et saler. Laisser mijoter 5 minutes et répartir la préparation dans 4 crêpes bien chaudes.

ASTUCE

Accompagner d'une salade de poivrons et de tomates grillés.
On peut aussi égoutter une petite boîte de maïs, le mixer grossièrement
et l'incorporer dans la pâte à crêpes avant la cuisson.

GALETTES AUX POIVRONS CARAMÉLISÉS AU VINAIGRE BALSAMIQUE

4 PERS.   FACILE   RAISONNABLE

Préparation : 25 min – Cuisson : 45 min

2 POIVRONS ROUGES / 3 POIVRONS JAUNES / 4 TOMATES / 2 OIGNONS / 250 G DE SARDINES À L'HUILE D'OLIVE EN BOÎTE / 2 CUIL. À SOUPE DE CRÈME FRAÎCHE ÉPAISSE / 4 CUIL. À SOUPE D'HUILE D'OLIVE / 3 CUIL. À SOUPE DE VINAIGRE BALSAMIQUE / 4 GALETTES (P. 20) / SEL, POIVRE.

o Laver les poivrons, les couper en quatre dans le sens de la longueur. Supprimer les parties blanches et les graines. Faire griller les quartiers de poivron au four à 180 °C (th. 6) pendant 15 minutes environ, jusqu'à l'apparition de larges cloques noires. Retirer les poivrons et les enfermer dans un sac de congélation. Laisser refroidir puis éplucher les peaux noircies.

o Couper les poivrons en lanières. Peler et épépiner les tomates, les couper en dés. Éplucher et émincer les oignons.

o Égoutter les sardines et les essuyer délicatement dans du papier absorbant.

o Dans un bol, écraser les sardines avec la crème fraîche, une pincée de sel et de poivre.

o Faire revenir les oignons à la poêle pendant 10 minutes avec 1 cuillerée à soupe d'huile d'olive. Quand ils sont dorés, ajouter les tomates, 1 cuillerée à soupe de vinaigre et laisser mijoter 5 minutes. Réserver.

o Verser le reste d'huile d'olive et faire cuire à feu moyen les poivrons pendant 15 minutes. Mélanger régulièrement, verser le reste de vinaigre balsamique en milieu de cuisson.

o Ajouter les oignons et les tomates, saler, poivrer et mélanger. Répartir les légumes et les rillettes de sardines sur les galettes bien chaudes.

CROUSTILLANTS DE GAMBAS
À LA CITRONNELLE

4 PERS. | **FACILE** | **CHÈRE**

Préparation : 25 min – Cuisson : 10 min

SALADE : 2 CAROTTES / 1/2 RADIS NOIR / 1 CONCOMBRE / 1 PAPAYE / 1/2 BOUQUET DE CORIANDRE / 2 CUIL. À SOUPE D'HUILE DE SÉSAME / LE JUS DE 1 CITRON / SEL, POIVRE.
10 CRÊPES VIETNAMIENNES (P. 27) / 20 GAMBAS / 2 BLANCS DE CITRONNELLE / 1/2 BOUQUET DE CORIANDRE / 1 BLANC D'ŒUF / 3 CUIL. À SOUPE D'HUILE D'OLIVE.

o Préparer la salade : éplucher les carottes, le radis noir, le concombre et la papaye. Couper la papaye en deux, supprimer les graines et la couper en fines lamelles. Râper les carottes, la papaye et le radis noir, émincer le concombre. Ciseler la coriandre. Mélanger tous les ingrédients dans un saladier, réserver au frais.
o Couper les crêpes en deux. Décortiquer les gambas en ne laissant que la petite queue. Émincer la citronnelle et ciseler la coriandre.

Mélanger la coriandre et la citronnelle, rouler les gambas dans ce mélange.
o Ensuite, rouler les gambas dans une moitié de crêpe, en veillant à ce que la petite queue dépasse de la crêpe. Coller le bord de la crêpe avec un peu de blanc d'œuf.
o Dans une poêle huilée bien chaude, cuire les crêpes de chaque côté jusqu'à ce qu'elles soient croustillantes.
o Servir les croustillants avec un peu de salade assaisonnée.

Crêpes en Plat

80

GALETTES DE VEAU ET
LEURS LÉGUMES NOUVEAUX

4 PERS.   **FACILE**   **RAISONNABLE**

Préparation : 20 min – Cuisson : 15 min – Repos : 1 h

4 ESCALOPES DE VEAU / 10 CL D'APÉRITIF ANISÉ / 4 CAROTTES NOUVELLES / 8 OIGNONS NOUVEAUX / 100 G DE PETITS POIS MANGE-TOUT / 1 CUIL. À SOUPE DE GRAINES D'ANIS / 3 CUIL. À SOUPE DE CRÈME FRAÎCHE ÉPAISSE / 2 CUIL. À SOUPE D'HUILE D'OLIVE / 4 GALETTES (P. 20) / SEL, POIVRE.

o Couper les escalopes de veau en lamelles, les verser dans un saladier et ajouter l'apéritif anisé. Saler et poivrer, mélanger et laisser reposer au frais 1 heure.

o Laver les légumes. Couper les carottes en rondelles, supprimer la tige des oignons. Faire cuire les légumes à la vapeur pendant 10 minutes. Piler les graines d'anis avec du sel et du poivre, les mélanger à la crème fraîche et réserver.

o Égoutter le veau, le faire revenir dans une poêle à feu moyen avec l'huile d'olive et les légumes.

o En fin de cuisson, ajouter la crème parfumée à l'anis, bien mélanger. Répartir dans 4 galettes chaudes.

GALETTES VÉGÉTARIENNES

4 PERS. **FACILE** **RAISONNABLE**

Préparation : 25 min – Cuisson : 30 min

1 POIREAU / 2 PETITS NAVETS / 1 PETITE BETTERAVE CRUE / 1 CAROTTE / 2 CUIL. À SOUPE DE CRÈME FRAÎCHE ÉPAISSE / 1 CUIL. À CAFÉ DE CUMIN EN POUDRE / 2 GOUSSES DE CARDAMOME / 2 CUIL. À SOUPE D'HUILE D'OLIVE / 4 CRÊPES (PÂTE À CRÊPES LEVÉE AU SARRASIN, P. 20) / 1 CUIL. À SOUPE DE GRAINES DE COURGE / SEL.

o Laver et éplucher tous les légumes. Émincer le poireau, couper les navets et la betterave en cubes et la carotte en rondelles.

o Faire cuire la betterave à la vapeur pendant 10 minutes. Mixer la betterave avec la crème fraîche, le cumin et une pincée de sel.

o Ouvrir les gousses de cardamome, récupérer les graines et les moudre.

o Dans un faitout, faire chauffer à feu doux l'huile d'olive. Verser le poireau, la carotte, les navets et la cardamome. Couvrir et laisser cuire 15 minutes en remuant régulièrement. La carotte et les navets doivent rester croquants. Saler.

o Réchauffer chaque crêpe dans une poêle légèrement huilée. Étaler un quart de la purée de betterave et y déposer un quart des légumes. Saupoudrer de graines de courge grillées.

o Rabattre les bords et servir bien chaud.

LANIÈRES DE CRÊPES SAUTÉES AU WOK ET LEURS LÉGUMES CROQUANTS

4 PERS. **FACILE** **RAISONNABLE**

Préparation : 20 min – Cuisson : 20 min

8 CRÊPES (PÂTE À CRÊPE ASIATIQUE, P. 27) / 1 POIVRON ROUGE / 1 OIGNON / 1/2 CHOU CHINOIS / 1 TIGE DE CITRONNELLE / 1 PETIT BOCAL DE POUSSES DE BAMBOU / 1 CUIL. À CAFÉ DE CURRY / 1 CUIL. À CAFÉ DE MASALA / 10 CL DE BOUILLON DE LÉGUMES / 1 CUIL. À SOUPE DE SAUCE DE SOJA / 3 CUIL. À SOUPE D'HUILE D'OLIVE / SEL.

o Couper les crêpes en lamelles, réserver. Laver les légumes. Couper le poivron, l'oignon et le chou chinois en lamelles. Hacher finement la citronnelle. Rincer et égoutter les pousses de bambou.

o Dans un bol, mélanger les épices avec le bouillon de légumes et la sauce de soja.

o Faire chauffer l'huile d'olive dans un wok. Y faire revenir l'oignon, la citronnelle et le poivron pendant 10 minutes en remuant constamment avec une cuillère en bois.

o Ajouter les lamelles de crêpes et de chou chinois, ainsi que les pousses de bambou, mélanger vigoureusement et verser le bouillon épicé. Laisser cuire 3 minutes en remuant et servir aussitôt.

ASTUCE

Accompagner de bœuf ou de poulet sauté ou de bouchées à la vapeur.

CRÊPES ROULÉES AU PROSCIUTTO ET AU CHÈVRE FRAIS À L'AIL

4 PERS. | ÉLÉMENTAIRE | RAISONNABLE

Préparation : 25 min

4 GOUSSES D'AIL / 250 G DE CHÈVRE FRAIS / 2 POIGNÉES D'ÉPINARDS FRAIS / 4 CRÊPES SALÉES (PP. 16 À 27) / 2 CUIL. À SOUPE DE VINAIGRE BALSAMIQUE / 8 TRANCHES DE PROSCIUTTO / SEL, POIVRE DU MOULIN.

○ Éplucher les gousses d'ail et les écraser à l'aide d'un presse-ail. Mélanger intimement l'ail avec le chèvre, du sel et du poivre.

○ Laver les épinards, les essorer et supprimer les queues et les parties abîmées.

○ Dans chaque crêpe, étaler sur toute la surface le chèvre parfumé à l'ail. Verser un trait de vinaigre balsamique. Déposer les tranches de prosciutto et les recouvrir d'une couche de feuilles d'épinard. Rouler les crêpes en serrant le plus possible et les couper en petits tronçons.

ASTUCE

Servir avec une salade d'épinards crus et de pignons de pin grillés.

MILLEFEUILLES DE CRÊPES À LA MOUSSE DE CREVETTES ET DE CHORIZO

4 PERS. | FACILE | RAISONNABLE

Préparation : 30 min – Cuisson : 15 min

POUR LE COULIS : 3 POIVRONS ROUGES / 10 CL DE CRÈME FRAÎCHE / SEL.
1 BRANCHE D'ESTRAGON / 150 G DE CHORIZO / 200 G DE CREVETTES ROSES DÉCORTIQUÉES / 10 CL DE CRÈME FRAÎCHE LIQUIDE / 200 G DE RICOTTA / 4 CRÊPES SALÉES DE 12 CM DE DIAMÈTRE (PP. 16 À 27) / SEL.

○ Préparer le coulis de poivrons : couper les poivrons en quatre, supprimer les graines et les parties blanches. Passer les poivrons sous le gril du four pendant 15 minutes, jusqu'à la formation de larges cloques noires. Retirer les poivrons et les mettre aussitôt dans un sac spécial congélation. Fermer hermétiquement et laisser refroidir. Éplucher les peaux noires. Mixer les poivrons avec la crème fraîche et du sel.

○ Laver et égoutter l'estragon, détacher les feuilles. Enlever la peau du chorizo, le couper en rondelles de 5 mm d'épaisseur, puis en petits dés.

○ Dans un blender, mixer ensemble les crevettes, l'estragon, la crème fraîche liquide et une pincée de sel. Verser la préparation dans un saladier, mélanger avec les dés de chorizo. Ajouter la ricotta et mélanger délicatement.

○ Dans un disque à monter de 12 cm de diamètre, déposer une crêpe chaude ou tiède et la couvrir de mousse de crevettes et de chorizo. Renouveler l'opération trois fois. Couper les 4 parts puis enlever le disque à monter.

○ Servir dans 4 assiettes et napper de coulis de poivrons.

Crêpes en Plat

MILLEFEUILLE SALÉ DE CRÊPES À LA PANCETTA

◎	!	€
4 PERS.	FACILE	RAISONNABLE

Préparation : 30 min – Cuisson : 20 min

1 CITRON NON TRAITÉ / 40 G D'OLIVES VERTES DÉNOYAUTÉES / 125 G DE RICOTTA / 12 TRANCHES DE PANCETTA / 4 POIGNÉES DE ROQUETTE / 2 CUIL. À SOUPE D'HUILE D'OLIVE / 2 CUIL. À SOUPE DE VINAIGRE BALSAMIQUE / 6 CRÊPES SALÉES (PP. 16 À 27) / 30 G DE PARMESAN / SEL, POIVRE.

○ Zester le citron et hacher les olives. Mélanger les zestes de citron et les olives avec la ricotta, saler et poivrer. Mélanger délicatement.

○ Couper les tranches de pancetta en lamelles à l'aide d'un couteau bien aiguisé. Laver la roquette et l'essorer.

○ Dans un saladier, mélanger l'huile d'olive et le vinaigre balsamique avec une pincée de sel et du poivre. Verser la roquette et mélanger.

○ Déposer une crêpe au fond d'un moule à gâteau rond légèrement huilé.

○ Tartiner la crêpe de ricotta au citron et aux olives.

○ Recouvrir d'une crêpe et répartir quelques feuilles de roquette assaisonnées et quelques lamelles de pancetta.

○ Alterner de cette façon les crêpes, la ricotta et la roquette. Recouvrir de copeaux de parmesan.

○ Passer au four à 160 °C (th. 5-6) pendant 20 minutes. Découper dans le moule avant de servir.

PAVÉ DE BŒUF ET PURÉE DE PETITS POIS EN AUMÔNIÈRE

◎	!	€
4 PERS.	ÉLÉMENTAIRE	CHÈRE

Préparation : 35 min – Cuisson : 25 min

1 BOUQUET DE CIBOULETTE / 2 ÉCHALOTES / 400 G DE PETITS POIS FRAIS ET ÉCOSSÉS / 2 CUIL. À SOUPE DE CRÈME FRAÎCHE / 2 CUIL. À SOUPE DE FROMAGE BLANC / 4 PAVÉS DE BŒUF / 4 CRÊPES SALÉES (PP. 16 À 27) / SEL, POIVRE.

○ Laver et égoutter la ciboulette, la ciseler. Éplucher et émincer finement les échalotes. Réserver.

○ Faire cuire les petits pois à la vapeur 10 minutes, les mixer avec la crème fraîche et le fromage blanc. Verser la ciboulette et l'échalote, mélanger.

○ Faire griller les pavés de bœuf avec du poivre quelques minutes de chaque côté. Attention, la cuisson continuera dans le four !

○ Au centre de chaque crêpe, déposer un pavé de bœuf, saler et déposer 2 cuillerées à soupe de purée de petits pois. Fermer l'aumônière avec du fil alimentaire ou avec un brin de ciboulette.

○ Placer les 4 aumônières dans un plat à gratin légèrement huilé, couvrir d'une feuille de papier d'aluminium. Laisser cuire 5 minutes à 160 °C (th. 5-6) et servir aussitôt avec le reste de purée de petits pois.

ROULÉS À LA CHAIR DE CRABE, SAUCE À L'ANANAS ET AU POIVRE DE SICHUAN

4 PERS. | **FACILE** | **RAISONNABLE**

Préparation : 30 min – Cuisson : 25 min – Repos : 2 h

PÂTE À CRÊPES VIETNAMIENNES (P. 27) / HUILE D'OLIVE / 2 PAPAYES / 200 G DE CHAIR DE CRABE / 4 FEUILLES DE GÉLATINE / 1 BOÎTE DE LAIT DE COCO / 1 ANANAS FRAIS / 1 CUIL. À SOUPE DE FÉCULE DE MAÏS (FACULTATIF) /1 CUIL. À SOUPE DE POIVRE DU SICHUAN / SEL.

○ Faire cuire 8 crêpes vietnamiennes dans une poêle à pancake de 12 cm de diamètre avec un trait d'huile d'olive.

○ Éplucher les papayes, les couper en deux, supprimer les graines. Émincer les papayes et les mélanger à la chair de crabe. Faire tremper les feuilles de gélatine dans un bol d'eau froide.

○ Faire chauffer les deux tiers du lait de coco dans une casserole et y ajouter les feuilles de gélatine ramollies. Bien mélanger jusqu'à ce que les feuilles soient dissoutes. Verser la papaye et la chair de crabe dans la casserole et mélanger.

○ Répartir la farce sur les 8 crêpes. Plier chaque crêpe de la façon suivante : rabattre deux

bords opposés afin qu'ils se chevauchent légèrement. Piquer un cure-dent au centre, de façon à maintenir le montage.

○ Placer au frais pendant 2 heures, le temps que la gélatine prenne.

○ Préparer le coulis : éplucher l'ananas, le couper en dés après avoir supprimé le cœur. Mixer les dés d'ananas et verser le jus obtenu dans une casserole. Moudre les baies de poivre et porter à ébullition. Réduire le feu et laisser mijoter 15 minutes. Filtrer la sauce. Si besoin, épaissir la sauce avec la fécule de maïs et faire chauffer à feu doux 5 minutes en remuant.

○ Servir les crêpes avec la sauce à l'ananas.

ROULÉS DE LÉGUMES VERTS EN GELÉE

4 PERS.   ÉLÉMENTAIRE   PEU COÛTEUSE

Préparation : 25 min – Cuisson : 15 min – Repos : 4 h

100 G DE BROCOLI / 100 G DE FÈVES ÉCOSSÉES / 1/2 CITRON / 1 AVOCAT / 2 BRANCHES D'ESTRAGON / 3 FEUILLES DE GÉLATINE / 15 CL DE CRÈME FRAÎCHE LIQUIDE / 4 CRÊPES SALÉES (PP. 16 À 27) / SEL, POIVRE.

o Couper le brocoli en bouquet et le faire cuire 10 minutes au cuit-vapeur avec les fèves. Presser le demi-citron.

o Couper l'avocat en deux, ôter le noyau et récupérer la chair avec une cuillère. Arroser de jus de citron et saler.

o Laver et égoutter l'estragon ; détacher les feuilles une par une.

o Mixer ensemble l'avocat, le brocoli et les fèves, avec du sel, du poivre et l'estragon.

o Dans un bol d'eau froide, faire ramollir les feuilles de gélatine selon le temps indiqué sur l'emballage.

o Pendant ce temps, faire tiédir la crème fraîche liquide dans une casserole.

o Plonger les feuilles de gélatine ramollies dans la crème fraîche et mélanger avec une cuillère en bois jusqu'à ce que la gélatine soit dissoute.

o Verser la préparation sur les légumes mixés et mélanger rapidement.

o Répartir cette préparation aussitôt sur les 4 crêpes et rouler les crêpes sur elles-mêmes en serrant le plus possible.

o Laisser prendre 4 heures au réfrigérateur.

o Avant de servir, couper chaque crêpe en rondelles à l'aide d'un couteau bien aiguisé.

ASTUCE

Accompagner d'une sauce fromage blanc-fines herbes ou d'un coulis de tomates au basilic.

ROULÉS DE RICOTTA, BASILIC, MENTHE ET HUILE DE PISTACHE

4 PERS.   ÉLÉMENTAIRE   RAISONNABLE

Préparation : 20 min

1 BOUQUET DE BASILIC / 1/2 BOUQUET DE MENTHE / 50 G DE PIGNONS DE PIN / 250 G DE RICOTTA / 4 CRÊPES À LA FARINE DE CHÂTAIGNE (P. 22) / 4 CUIL. À SOUPE D'HUILE DE PISTACHE / SEL, POIVRE.

o Laver et bien égoutter les herbes. Détacher les feuilles de basilic et de menthe. Faire griller les pignons de pin à sec dans une poêle.

o Dans un bol, mélanger la ricotta, les herbes et les pignons de pin. Saler et poivrer.

o Répartir le mélange dans 4 crêpes, rouler les crêpes sur elles-mêmes et les couper en rondelles. Déposer les rondelles dans 4 assiettes et arroser d'huile de pistache.

ASTUCE

Accompagner d'une salade de roquette à l'avocat et à l'orange.

PAPILLOTES DE FRUITS DE MER AUX FRUITS DE LA PASSION

4 PERS.   **FACILE**   **CHÈRE**

Préparation : 15 min – Cuisson : 20 min

4 FRUITS DE LA PASSION / 1/2 RADIS NOIR / 6 BRANCHES DE CORIANDRE FRAÎCHE / 1 CITRON / 600 G DE FRUITS DE MER : CREVETTES, COQUES, MOULES, NOIX DE SAINT-JACQUES / 4 CRÊPES SALÉES (PP. 16 À 27) / 2 CUIL. À SOUPE D'HUILE D'OLIVE / SEL, POIVRE.

Couper les fruits de la passion et récupérer la chair à l'aide d'une cuillère.

Éplucher le radis noir et le couper en bâtonnets. Laver, égoutter et ciseler la coriandre. Presser le citron.

Mélanger les fruits de mer, les fruits de la passion, le radis noir, la coriandre, du sel et du poivre. Arroser de jus de citron et mélanger.

Répartir la farce au centre de chaque crêpe, rabattre 2 bords opposés de façon que la farce ne soit plus visible. Rabattre les 2 autres bords opposés sous la crêpe.

Déposer les 4 papillotes dans un plat à gratin. Badigeonner les papillotes d'huile d'olive et couvrir d'une feuille de papier d'aluminium.

Enfourner 20 minutes à 160 °C (th. 5-6).

CRÊPES À L'ANANAS ET AU RHUM

4 PERS. **FACILE** **PEU COÛTEUSE**

Préparation : 10 min – Cuisson : 15 min

1 ANANAS / 1 GOUSSE DE VANILLE / 15 CL DE RHUM VIEUX / 10 G DE BEURRE DOUX / 25 G DE SUCRE ROUX / 4 CRÊPES SUCRÉES (PP. 16 À 26).

o Éplucher l'ananas et le couper en morceaux.

1re option

o Un mois (ou plus) à l'avance, faire mariner la gousse de vanille dans une bouteille de rhum pour obtenir un excellent rhum arrangé.

o Faire revenir l'ananas avec le beurre, le sucre et 5 cl de rhum arrangé.

o Laisser caraméliser les morceaux d'ananas et les répartir dans les 4 crêpes chaudes.

o Plier les crêpes et les disposer dans 4 assiettes. Verser un trait de rhum et flamber les crêpes.

2e option

o Fendre la gousse de vanille dans le sens de la longueur.

o Au-dessus d'un bol, gratter l'intérieur de la gousse avec la pointe d'un couteau.

o Faire revenir l'ananas avec le beurre, le sucre avec les graines de vanille.

o Laisser caraméliser les morceaux d'ananas et les répartir dans les 4 crêpes chaudes.

o Plier les crêpes et les disposer dans 4 assiettes. Verser un trait de rhum et flamber les crêpes.

CRÊPES ANISÉES

4 PERS. **FACILE** **PEU COÛTEUSE**

Préparation : 15 min – Cuisson : 1 h 20 min

2 FENOUILS / 15 G D'ANGÉLIQUE CONFITE / 120 G DE SUCRE EN POUDRE / LE JUS DE 2 CITRONS / 15 CL D'APÉRITIF ANISÉ / 4 CRÊPES SUCRÉES (PP. 16 À 26) / 4 CUIL. À CAFÉ DE GRAINES DE FENOUIL.

o Laver les fenouils, ôter les parties les plus dures et émincer les fenouils très finement.

o Hacher l'angélique.

o Dans un grand faitout, verser le fenouil, le sucre et le jus de citron. Laisser cuire 1 heure à feu doux, en remuant régulièrement. Ajouter l'angélique confite, mélanger et laisser cuire 15 minutes.

o Faire tiédir l'apéritif anisé dans une casserole. Répartir le confit de fenouil dans les 4 crêpes tièdes, saupoudrer de graines de fenouil et plier les crêpes.

o Servir à table. Sur chaque crêpe, verser un trait d'apéritif anisé tiède et le flamber aussitôt.

Desserts
de Crêpes

CRÊPES À LA CANNELLE ET AUX FIGUES

4 PERS. | **FACILE** | **RAISONNABLE**

Préparation : 20 min − Cuisson : 35 min

4 ORANGES / 8 FIGUES / 10 G DE BEURRE / 25 G DE SUCRE ROUX / 1 CUIL. À CAFÉ DE CANNELLE EN POUDRE / 1 CUIL. À CAFÉ DE GINGEMBRE EN POUDRE / 4 CUIL. À CAFÉ D'EAU DE FLEUR D'ORANGER / 4 CRÊPES SUCRÉES (PP. 16 À 26).

o Peler les oranges à vif, enlever au maximum les peaux blanches. Couper les oranges en rondelles ou en quartiers.

o Laver les figues et les couper en morceaux.

o Dans une casserole, faire fondre le beurre avant de verser les morceaux de figue, le sucre, les épices et l'eau de fleur d'oranger. Laisser cuire à feu doux pendant 20 minutes.

o Sur chaque crêpe, répartir les rondelles d'orange et y étaler la compote de figues.

o Plier et déposer dans un plat allant au four. Recouvrir d'un papier d'aluminium et enfourner pour 15 minutes à 160 °C (th. 5-6).

CRÊPES AU CARAMEL AU BEURRE SALÉ

4 PERS.   ÉLÉMENTAIRE   PEU COÛTEUSE

Préparation : 5 min – Cuisson : 15 min

50 G DE BEURRE DEMI-SEL / 100 G DE SUCRE DE CANNE / 2 CUIL. À SOUPE DE JUS DE CITRON / 2 CUIL. À SOUPE DE CRÈME FRAÎCHE ÉPAISSE / 4 CRÊPES SUCRÉES (PP. 16 À 26) / QUATRE PINCÉES DE FLEUR DE SEL.

o Dans une poêle, faire fondre à feu doux le beurre avec le sucre et le jus de citron. Remuer avec une spatule en bois.

o Quand le caramel se forme, laisser chauffer encore 2 à 3 minutes à feu doux, puis verser la crème fraîche et mélanger.

o Répartir ce mélange sur 4 crêpes tièdes, plier les crêpes et saupoudrer de quelques cristaux de fleur de sel.

CRÊPES AU CITRON
ET ÉCLATS DE MERINGUE

4 PERS.   DIFFICILE   PEU COÛTEUSE

Préparation : 15 min – Cuisson : 1 h 15 min

4 PETITS CITRONS NON TRAITÉS / 1 CUIL. À SOUPE DE FÉCULE DE MAÏS / 125 G DE SUCRE EN POUDRE / 3 ŒUFS / 4 CRÊPES SUCRÉES (PP. 16 À 26).
POUR LA MERINGUE : 1 BLANC D'ŒUF / 50 G DE SUCRE EN POUDRE.

○ Zester 2 citrons puis presser les 4 citrons. Blanchir les zestes 2 minutes dans une casserole d'eau bouillante puis égoutter.

○ Dans un saladier rond en verre, mélanger les zestes et le jus des citrons avec la fécule de maïs et le sucre.

○ Au bain-marie, faire cuire ce mélange à feu doux.

○ Battre les œufs et les verser dans le saladier en mélangeant constamment avec un fouet. Continuer la cuisson à température élevée en battant avec un fouet. Quand le mélange s'est épaissi, retirer du feu.

○ Battre le blanc d'œuf en neige avec le sucre, jusqu'à ce que le blanc soit très ferme et brillant.

○ Sur une plaque recouverte de papier sulfurisé, former des petits tas avec une poche à douille.

○ Faire cuire 45 minutes à 130 °C (th. 4-5) en laissant le four légèrement entrouvert et laisser refroidir dans le four.

○ Dans chaque crêpe, répartir la crème au citron et l'étaler, plier et émietter deux ou trois meringues sur la crêpe.

TIRAMISU DE CRÊPES
AU CITRON-CITRON VERT

6 PERS.   FACILE   RAISONNABLE

Préparation : 30 min – Repos : 4 à 12 h

2 CITRONS NON TRAITÉS / 2 CITRONS VERTS NON TRAITÉS / 3 JAUNES D'ŒUFS / 120 G DE SUCRE EN POUDRE / 180 G DE MASCARPONE / 25 CL DE CRÈME FRAÎCHE ÉPAISSE / 8 CRÊPES SUCRÉES (PP. 16 À 26).

○ Zester les citrons et les citrons verts.

○ Battre ensemble les jaunes d'œufs et le sucre jusqu'à ce que le mélange blanchisse. Ajouter le mascarpone, la crème fraîche et les zestes de citron et de citron vert ; battre.

○ Dans un moule à gâteau, déposer une crêpe et la tartiner de la préparation obtenue.

○ Recouvrir d'une crêpe et la tartiner.

○ Recommencer l'opération autant de fois que nécessaire.

○ Laisser reposer au réfrigérateur 4 à 12 heures au maximum.

ASTUCE

Couper les parts dans le moule à gâteau, avec un couteau bien aiguisé.

Desserts de crêpes

CRÊPES À LA MOUSSE DE POIVRON ET FRAISES DES BOIS

| 4 PERS. | FACILE | RAISONNABLE |

Préparation : 20 min – Cuisson : 15 min – Repos : 4 h

1 POIVRON ROUGE / 250 G DE FRAISES DES BOIS / 3 FEUILLES DE GÉLATINE / 10 CL DE CRÈME FRAÎCHE LIQUIDE / 75 G DE SUCRE EN POUDRE / 4 CRÊPES SUCRÉES (PP. 16 À 26).

○ Laver le poivron, le couper en quatre dans le sens de la longueur. Supprimer les parties blanches et les graines.

○ Faire griller les quartiers de poivron au four à 180 °C (th. 6) pendant 15 minutes environ, jusqu'à l'apparition de larges cloques noires. Retirer le poivron et l'enfermer dans un sac de congélation. Laisser refroidir puis éplucher les peaux noircies.

○ Rincer délicatement les fraises des bois, supprimer les petites queues.

○ Faire tremper les feuilles de gélatine dans un bol d'eau froide.

○ Quand elles sont ramollies, les verser dans une casserole avec la crème fraîche.

○ Faire chauffer à feu doux en remuant, jusqu'à ce que la gélatine soit dissoute.

○ Dans un blender, mixer la moitié des fraises avec le poivron, le sucre et la crème fraîche.

○ Dans un récipient, mélanger cette préparation avec le reste des fraises des bois.

○ Répartir cette farce dans les 4 crêpes et l'étaler. Rouler les crêpes sur elles-mêmes et les placer au réfrigérateur pendant 4 heures au minimum.

○ Servir frais.

ASTUCE

Accompagner d'un coulis de fruits rouges.

CRÊPES AUX FRUITS ROUGES

| 4 PERS. | FACILE | PEU COÛTEUSE |

Préparation : 15 min

200 G DE FRUITS ROUGES / 4 CUIL. À SOUPE DE CRÈME FRAÎCHE ÉPAISSE / 1 CUIL. À CAFÉ DE GRAINES DE LAVANDE / 2 CUIL. À SOUPE DE SIROP DE MENTHE / 4 CUIL. À SOUPE DE SUCRE ROUX / 4 CRÊPES SUCRÉES (PP. 16 À 26).

○ Rincer délicatement les fruits rouges et bien les égoutter sur du papier absorbant.

○ Dans un bol, fouetter la crème fraîche avec les graines de lavande et le sucre.

○ Sur chaque crêpe bien chaude, verser les fruits rouges, 1 cuillerée à soupe de crème fouettée et rabattre les bords.

○ Verser un trait de sirop de menthe et servir aussitôt.

Desserts de Crêpes

CRÊPES AUX FRUITS SECS

4 PERS. | **ÉLÉMENTAIRE** | **PEU COÛTEUSE**

Préparation : 5 min

150 G DE FRUITS SECS : AMANDES, NOISETTES, PISTACHES DÉCORTIQUÉES / 1 CUIL. À CAFÉ DE THÉ ÉPICÉ (EX : THÉ DE NOËL) / 1 CUIL. À SOUPE DE GINGEMBRE EN POUDRE / 4 BOULES DE GLACE AU MIEL / 4 CRÊPES SUCRÉES (PP. 16 À 26) / 30 G DE RAISINS SECS.

o Mixer les fruits secs. Ajouter le thé et le gingembre, mélanger. Mixer avec la glace et remettre immédiatement au congélateur.

o Sur une crêpe chaude, déposer une boule de glace et quelques raisins secs.
o Servir aussitôt.

CRÊPES À LA PÂTE À TARTINER MAISON

4 PERS. | **FACILE** | **PEU COÛTEUSE**

Préparation : 5 min – Cuisson : 35 min

100 G DE BEURRE DEMI-SEL / 50 G DE CHOCOLAT NOIR / 50 G DE CHOCOLAT AU LAIT / 50 G DE NOISETTES EN POUDRE / 200 G DE LAIT CONCENTRÉ SUCRÉ / 50 G DE NOISETTES EFFILÉES / 4 CRÊPES SUCRÉES (PP. 16 À 26).

o Au bain-marie, faire fondre le beurre et les chocolats en remuant avec une cuillère en bois.
o Dans un saladier, mélanger la poudre de noisette et le lait concentré. Verser le lait concentré à la noisette sur le chocolat et le

beurre fondu. Mélanger jusqu'à obtention d'une pâte homogène.
o Faire griller les noisettes effilées dans une poêle à sec. Étaler la pâte à tartiner sur les crêpes. Saupoudrer de noisettes effilées grillées.

CRÊPES À LA PÊCHE DE VIGNE ET AU BASILIC

4 PERS. | **FACILE** | **RAISONNABLE**

Préparation : 10 min – Cuisson : 15 min

1 CITRON / 6 PÊCHES DE VIGNE / 2 BRANCHES DE BASILIC FRAIS / 6 CUIL. À SOUPE DE SUCRE EN POUDRE / 4 CRÊPES SUCRÉES (PP. 16 À 26).

o Presser le citron ; réserver le jus.
o Éplucher les pêches de vigne et les couper en morceaux.
o Laver et égoutter le basilic ; détacher les feuilles une par une.

o Faire cuire à feu doux tous les ingrédients dans une casserole à fond épais.
o Écraser avec une cuillère en bois afin d'obtenir une compote.
o Garnir 4 crêpes avec cette compote et servir tiède.

ASTUCE

On peut mettre quelques feuilles de basilic hachées dans la pâte à crêpes.

CHIFFONNADE DE CRÊPE, COMPOTE
POIRE-BANANE ET ÉCLATS DE COOKIES

4 PERS.	ÉLÉMENTAIRE	PEU COÛTEUSE

Préparation : 15 min – Cuisson : 15 min

4 CRÊPES SUCRÉES (PP. 16 À 26) / 6 COOKIES TOUT CHOCOLAT / 3 POIRES / 2 BANANES / 1 CUIL. À CAFÉ DE CANNELLE EN POUDRE / 10 G DE BEURRE DEMI-SEL.

o Couper les crêpes en lanières.
o Émietter les cookies.
o Éplucher les poires et les bananes, les couper en morceaux.
o Dans une casserole à fond épais, faire cuire à feu doux les poires avec la cannelle et la moitié du beurre pendant 5 minutes.

o Ajouter les bananes et le reste du beurre, mélanger, couvrir et laisser mijoter 10 minutes.
o Dans chaque assiette, répartir les lanières de crêpe, les couvrir de compote poire-banane. Saupoudrer d'éclats de cookies.

ASTUCE

On peut remplacer les éclats de cookies par un coulis de chocolat noir.

MINICRÊPES ROULÉES
À LA CRÈME DE PISTACHES

4 PERS.	FACILE	PEU COÛTEUSE

Préparation : 20 min – Cuisson : 10 min

150 G DE PISTACHES DÉCORTIQUÉES NON SALÉES / 25 CL DE CRÈME FRAÎCHE LIQUIDE / 50 G DE SUCRE ROUX / 125 G DE CHOCOLAT NOIR / 8 CRÊPES SUCRÉES DE 12 CM DE DIAMÈTRE (PP. 16 À 26).

o Préparer la crème de pistaches : plonger les pistaches dans une casserole d'eau bouillante pendant 2 minutes. Les égoutter et les laisser refroidir.
o Éplucher les pistaches une à une. Hacher les pistaches et les verser dans une casserole avec la crème fraîche et le sucre. Porter à ébul-

lition 2 minutes, puis mixer finement la crème. Filtrer la crème de pistaches avec un chinois.
o Faire fondre le chocolat au bain-marie.
o Tartiner les 8 crêpes tièdes de chocolat fondu et les rouler sur elles-mêmes.
o Disposer 2 crêpes dans chaque assiette et les napper de crème de pistaches.

CRÊPES AUX POMMES ET AU CALVADOS

4 PERS. **ÉLÉMENTAIRE** **PEU COÛTEUSE**

Préparation : 10 min – Cuisson : 15 min

2 POMMES / 30 G DE BEURRE DEMI-SEL / 4 CUIL. À SOUPE DE SUCRE ROUX / 4 CRÊPES SUCRÉES (PP. 16 À 26) / 10 CL DE CALVADOS.

o Éplucher les pommes et les couper en morceaux. Les faire revenir à feu moyen dans une casserole avec le beurre et le sucre.
o Répartir les pommes dans les crêpes chaudes, rabattre les bords.

o Faire tiédir le calvados dans une petite casserole.
o Servir à table, verser le calvados et flamber aussitôt.

CRÊPES À LA COMPOTE DE POMMES ET À LA CORIANDRE

4 PERS. **ÉLÉMENTAIRE** **PEU COÛTEUSE**

Préparation : 10 min – Cuisson : 30 min

1 KG DE POMMES / 25 G DE SUCRE EN POUDRE (FACULTATIF) / 10 BRANCHES DE CORIANDRE FRAÎCHE / 4 CRÊPES MAROCAINES (P. 27).

o Éplucher les pommes et les couper en gros morceaux. Verser les morceaux dans une casserole à fond épais, couvrir et faire cuire à feu doux environ 30 minutes. Si besoin, verser 5 cl d'eau pour démarrer la cuisson. Quand les morceaux de pomme commencent à fondre, arrêter la cuisson. Goûter et ajouter du sucre selon les goûts.

o Laver et égoutter la coriandre ; la hacher. Incorporer la coriandre dans la compote et mélanger.
o Répartir le mélange dans les crêpes marocaines tièdes ou chaudes, plier et déguster.

ASTUCE

On peut ajouter 1 cuillerée à café de cannelle en poudre ou les zestes de 1 citron vert non traité.

CRÊPES AUX POIRES À LA VANILLE

4 PERS. | **ÉLÉMENTAIRE** | **PEU COÛTEUSE**

Préparation : 10 min – Cuisson : 15 min – Repos : 1 h

1 GOUSSE DE VANILLE / 15 CL DE CRÈME FRAÎCHE LIQUIDE / 75 G DE SUCRE ROUX / 3 POIRES PAS TROP MÛRES / 30 G DE BEURRE / 4 CRÊPES SUCRÉES (PP. 16 À 26).

o Fendre la gousse de vanille dans le sens de la longueur. Porter à ébullition la crème fraîche avec la vanille et la moitié du sucre, et retirer dès les premiers bouillons. Laisser infuser la vanille dans la crème fraîche pendant 1 heure.

o Éplucher les poires et les couper en morceaux. Les faire revenir à feu doux dans une casserole avec le beurre et le reste de sucre.

o Dans une crêpe bien chaude, déposer quelques morceaux de poire, rabattre les bords et verser un trait de crème fraîche à la vanille.

CRÊPES DES ROIS

4 PERS. | **ÉLÉMENTAIRE** | **PEU COÛTEUSE**

Préparation : 10 min – Cuisson : 20 min

150 G DE BEURRE / 90 G DE SUCRE EN POUDRE / 100 G D'AMANDES EN POUDRE / 2 CUIL. À SOUPE DE FARINE / 1 ŒUF / 5 GOUTTES D'ESSENCE D'AMANDE / 4 CRÊPES SUCRÉES (PP. 16 À 26).

o Faire fondre le beurre. Battre le beurre fondu avec le sucre et la poudre d'amande. Ajouter la farine, battre avec un fouet pour éviter les grumeaux. Ajouter l'œuf, l'essence d'amande et mélanger intimement.

o Dans une poêle, à feu moyen, verser ce mélange sur chaque crêpe et faire cuire 5 minutes à feu doux avant de servir.

CRÊPES AU CONFIT DE RHUBARBE
AU SIROP D'ÉRABLE

4 PERS. | **FACILE** | **RAISONNABLE**

Préparation : 15 min − Cuisson : 1 h 15 min

1 BOTTE DE RHUBARBE / 1 ORANGE / 20 DATTES / 50 G DE SUCRE ROUX / 4 CRÊPES SUCRÉES (PP. 16 À 26) / 4 CUIL. À SOUPE DE SIROP D'ÉRABLE.

o Laver la rhubarbe, éplucher, ôter les parties les plus dures et émincer les tiges très finement. Presser l'orange. Dénoyauter les dattes et les couper en morceaux.
o Dans un grand faitout, verser la rhubarbe, le sucre et le jus d'orange. Laisser cuire 1 heure

à feu doux, en remuant régulièrement. Ajouter les morceaux de datte, mélanger et laisser cuire 15 minutes.
o Répartir le confit de rhubarbe dans 4 crêpes, les plier et arroser de sirop d'érable.

CRÊPES SUZETTE

4 PERS. | **ÉLÉMENTAIRE** | **PEU COÛTEUSE**

Préparation : 10 min − Cuisson : 1 min

1 CITRON NON TRAITÉ / 30 G DE SUCRE EN POUDRE / 50 G DE BEURRE DOUX EN POMMADE / 4 CRÊPES SUCRÉES (PP. 16 À 26) / 10 CL DE GRAND MARNIER.

o Zester et presser le citron. Mélanger ensemble le sucre, le jus et les zestes de citron. Ajouter le beurre en pommade en morceaux et mélanger intimement.

o Répartir ce mélange sur les 4 crêpes, sur toute leur surface. Plier les crêpes en quatre.
o Faire chauffer le Grand Marnier. Le verser sur les crêpes et faire flamber.

ASTUCE

Remplacer le citron par 1 orange non traitée mais n'utiliser que la moitié du jus de l'orange.

CRÊPES VODKA ORANGE

4 PERS. | **ÉLÉMENTAIRE** | **PEU COÛTEUSE**

Préparation : 15 min − Cuisson : 10 min − Marinade : 1 h
3 ORANGES NON TRAITÉES / 40 CL DE PÂTE À CRÊPES (P. 16) / 10 CL DE VODKA.

o Peler 2 oranges et les couper en rondelles.
o Dans un saladier, verser les oranges avec la vodka. Couvrir le saladier et laisser mariner 1 heure au frais.
o Zester 1 orange finement et mélanger les zestes dans la pâte à crêpes.

o Faire cuire les crêpes dans une poêle.
o Au moment de servir, réchauffer chaque crêpe, déposer quelques rondelles d'orange égouttées, rabattre 3 bords et flamber les oranges à la vodka. Servir aussitôt.

SUSHI DE FRUITS

4 PERS. **FACILE** **PEU COÛTEUSE**

Préparation : 15 min − Repos : 12 h

12 CRÊPES SUCRÉES (PP. 16 À 26) / 2 POIRES / 2 KIWIS / 50 G DE SUCRE ROUX EN POUDRE / CANNELLE, GINGEMBRE, VANILLE, RÉGLISSE... EN POUDRE.

o La veille, faire cuire les crêpes. Faire 3 tas de 4 crêpes empilées les unes sur les autres. Couper les 4 bords de façon à obtenir 3 tas de crêpes carrées.

o Rouler chaque tas sur lui-même en serrant le plus possible. Maintenir les rouleaux de crêpes serrés avec des cure-dents ou en enveloppant chaque rouleau dans un torchon propre. Mettre au frais toute la nuit.

o Éplucher les fruits. Les couper en tranches de 5 cm de long sur 2 cm de large. Sortir les rouleaux de crêpes du réfrigérateur. Couper chaque rouleau en tronçons de 1,5 à 2 cm de large et, sur le dessus, déposer une lamelle de fruit. Saupoudrer de sucre roux et d'épices.

ASTUCE

Avant de rouler les crêpes, on peut étaler de la pâte à tartiner sur chacune d'elles.

Desserts de Crêpes

TAGLIATELLES DE CRÊPE ET
SALADE DE FRUITS À L'HUILE DE PISTACHE

4 PERS.   **ÉLÉMENTAIRE**   **CHÈRE**

Préparation : 15 min

1 CITRON NON TRAITÉ / 150 G DE FRAISES DES BOIS / 2 PÊCHES BLANCHES / 2 POMMES / 150 G DE GROSEILLES / 4 CRÊPES SUCRÉES (PP. 16 À 26) / 50 G DE PISTACHES DÉCORTIQUÉES NON SALÉES / 3 CUIL. À SOUPE D'HUILE DE PISTACHE.

o Zester et presser le citron.

o Rincer les fraises et les essuyer délicatement. Ôter les parties abîmées et les couper en deux.

o Éplucher les pêches et les pommes, les couper en morceaux ; arroser de jus de citron. Laver les groseilles, les essuyer et détacher les baies. Mélanger ensemble tous les fruits.

o Couper les crêpes en tagliatelles.

o Dans 4 petites assiettes, dresser une couronne à l'aide des tagliatelles obtenues. Au centre, verser la salade de fruits.

o Répartir les pistaches et arroser d'huile de pistache.

TIMBALES DE CRÊPES AUX FRUITS ET
LEUR COULIS DE FRAMBOISES

◎	!	€
4 PERS.	FACILE	PEU COÛTEUSE

Préparation : 20 min – Cuisson : 30 min

POUR LE COULIS : 250 G DE FRAMBOISES / 25 G DE SUCRE EN POUDRE (FACULTATIF).
2 POMMES / 2 POIRES / 1 CITRON / 50 G DE BEURRE / 50 G DE SUCRE ROUX / 1 CUIL. À CAFÉ DE CANNELLE EN POUDRE /
4 CRÊPES SUCRÉES DE 12 CM DE DIAMÈTRE (PP. 16 À 26).

○ Préparer le coulis de framboises : laver et égoutter les framboises. Les verser dans un chinois, au-dessus d'un bol. Les écraser à l'aide d'une cuillère en bois, jusqu'à ce que tout le jus en soit extrait. Si le coulis est trop acide, ajouter un peu de sucre.

○ Éplucher les pommes et les poires ; les couper en dés. Presser le citron.

○ Dans une poêle, faire fondre 30 g de beurre avec le sucre et le jus de citron. Remuer constamment jusqu'à la formation du caramel. Faire revenir dans le caramel les morceaux de pomme et de poire. Saupoudrer de cannelle et laisser mijoter 8 à 10 minutes.

○ Dans 4 grands ramequins préalablement beurrés et farinés, déposer 1 crêpe et lui faire épouser la forme du ramequin.

○ Remplir les timbales de pommes et de poires caramélisées et rabattre les bords de la crêpe sur le dessus de chaque timbale.

○ Couvrir les ramequins d'une feuille de papier d'aluminium et enfourner 15 minutes à 160 °C (th. 5-6).

○ Démouler sur des assiettes à dessert et napper de coulis de framboises.

TRIO DE CRÊPES ET TRIO DE GLACES

4 PERS.   ÉLÉMENTAIRE   PEU COÛTEUSE

Préparation : 15 min – Cuisson : 20 min

200 G DE FARINE / 50 CL DE LAIT / 2 ŒUFS / 2 CUIL. À SOUPE D'HUILE DE TOURNESOL OU D'OLIVE / 2 CUIL. À SOUPE DE SUCRE EN POUDRE / 1 CUIL. À CAFÉ DE CANNELLE / 5 CL DE RHUM / 2 CM DE GINGEMBRE FRAIS / 4 BOULES DE GLACE AU CHOCOLAT NOIR / 4 BOULES DE GLACE À LA NOIX DE COCO / 4 BOULES DE SORBET À L'ORANGE OU AU CITRON / UNE PINCÉE DE SEL.

○ Dans un blender, verser la farine, le lait, les œufs, l'huile, le sel et le sucre. Mixer 1 à 2 minutes, jusqu'à ce qu'il n'y ait plus de grumeaux.
○ Répartir la préparation dans 3 récipients.
○ Ajouter, dans le premier récipient, la cannelle, dans le deuxième, le rhum et dans le troisième, le gingembre frais râpé.
○ Cuire 4 crêpes de chaque pâte dans une poêle antiadhésive de 12 cm légèrement beurrée.

○ Dans chaque assiette, procéder de la façon suivante : déposer 1 boule de glace au chocolat dans la crêpe à la cannelle et la plier en quatre.
○ Déposer 1 boule de glace à la noix de coco dans la crêpe au rhum et la plier en quatre.
○ Déposer 1 boule de sorbet à l'orange dans la crêpe au gingembre et la plier en quatre.
○ Servir aussitôt.

CRÊPES SPLIT

4 PERS.   ÉLÉMENTAIRE   PEU COÛTEUSE

Préparation : 10 min – Cuisson : 15 min

100 G D'AMANDES EFFILÉES / 150 G DE CHOCOLAT NOIR / 2 BANANES / 4 CRÊPES CLASSIQUES (PP. 16 À 26) / 4 BOULES DE GLACE À LA VANILLE / 4 BOULES DE GLACE AU CHOCOLAT / 4 BOULES DE GLACE À LA FRAMBOISE.

○ Faire griller les amandes dans une poêle à sec. Dans une casserole, faire fondre le chocolat à feu doux. Couper les bananes en rondelles.
○ Faire chauffer chaque crêpe avec quelques morceaux de banane.

○ Retirer du feu et disposer les boules de glace à la vanille, au chocolat et à la framboise. Rabattre les bords de la crêpe, verser le chocolat fondu et parsemer d'amandes effilées.
○ Servir immédiatement.

PÂTE À BLINIS

◯	!	€
4 PERS.	FACILE	PEU COÛTEUSE

Préparation : 10 min – Cuisson : 20 min – Repos : 3 h 10 min

1/2 L DE LAIT / 1 SACHET DE LEVURE DE BOULANGER / 125 G DE FARINE DE BLÉ / 125 G DE FARINE DE SARRASIN / 1 CUIL. À SOUPE DE SUCRE EN POUDRE / 3 ŒUFS / UNE PINCÉE DE SEL.

○ Faire tiédir 10 cl de lait, les verser dans un verre et y délayer la levure. Laisser gonfler 10 minutes.

○ Dans un saladier, battre ensemble la farine de blé, la farine de sarrasin, le sucre et les jaunes d'œufs. Ajouter la levure. Verser le reste de lait petit à petit en battant à chaque fois.

Couvrir d'un torchon et laisser reposer 3 heures.

○ Battre les blancs en neige avec le sel, puis les incorporer délicatement à la préparation.

○ Faire cuire légèrement dans une poêle de 12 cm de diamètre ou dans une poêle spéciale blinis (4 emplacements de 5 cm de diamètre).

BLINIS AU YAOURT

◯	!	€
4 PERS.	FACILE	PEU COÛTEUSE

Préparation : 5 min – Cuisson : 20 min

1 ŒUF / 1 YAOURT BRASSÉ / 50 G DE FARINE / 1 SACHET DE LEVURE CHIMIQUE / 1 CUIL. À SOUPE D'ANETH CISELÉ (FACULTATIF) / SEL.

○ Battre l'œuf et le yaourt dans un saladier. Verser la farine et la levure en pluie, en battant régulièrement. Quand il n'y a plus de grumeaux, ajouter du sel et l'aneth, mélanger.

○ Faire cuire dans une poêle à blinis antiadhésive, légèrement huilée. Retourner les blinis quand des petits trous se forment à la surface.

BLINIS SANS LAIT DE VACHE

◯	!	€
4 PERS.	FACILE	PEU COÛTEUSE

Préparation : 15 min – Cuisson : 20 min – Repos : 3 h 15 min

1 SACHET DE LEVURE DE BOULANGER / 25 CL DE LAIT DE RIZ (MAGASINS DIÉTÉTIQUES) / 100 G DE BEURRE DEMI-SEL / 200 G DE FARINE DE BLÉ / 150 G DE FARINE DE SARRASIN / 2 ŒUFS / UNE PINCÉE DE SEL.

○ Dans un verre, délayer la levure de boulanger avec 5 cl de lait de riz tiède, laisser reposer 15 minutes. Faire fondre le beurre.

○ Verser la farine de blé et de sarrasin dans un saladier et les mélanger ; former un puits. Incorporer la levure et le reste de lait, puis

ajouter les œufs entiers, le beurre et le sel. Battre la pâte avec un fouet. Couvrir d'un torchon propre et laisser reposer 2 à 3 heures à l'abri des courants d'air.

○ Faire cuire les blinis dans une poêle à blinis légèrement huilée.

cousins

cousins

BLINIS AU CARPACCIO DE BŒUF

4 PERS.　　**FACILE**　　**PEU COÛTEUSE**

Préparation : 20 min – Repos : 2 h – Cuisson : 1 min

200 G DE BŒUF / 2 BRANCHES DE BASILIC / 1 CITRON NON TRAITÉ / 30 G D'OLIVES VERTES DÉNOYAUTÉES / 10 CUIL. À SOUPE D'HUILE D'OLIVE VIERGE EXTRA / 4 CM DE GINGEMBRE FRAIS / 8 BLINIS DE 12 CM (P. 118).

o Demander au boucher de couper la viande de bœuf en fines tranches. Répartir les tranches de bœuf dans un grand plat.

o Laver et égoutter le basilic, détacher les feuilles une par une avant de les ciseler.

o Zester et presser le citron.

o Hacher les olives grossièrement.

o Mélanger 4 cuillerées à soupe d'huile d'olive, le jus et les zestes de citron, les olives et le basilic dans un bol.

o Verser cette marinade sur le bœuf et laisser reposer 2 heures au frais.

o Éplucher le gingembre et le couper en copeaux à l'aide d'un économe. Dans un wok, faire chauffer le reste d'huile d'olive et y faire frire les copeaux de gingembre 1 minute. Égoutter.

o Répartir le carpaccio sur les blinis avec en garniture les morceaux d'olives vertes et le gingembre frit.

BLINIS AU CONCOMBRE
ET AU SAUMON FUMÉ

4 PERS.　**ÉLÉMENTAIRE**　　**CHÈRE**

Préparation : 15 min

1/2 BOUQUET D'ANETH FRAIS / 20 G DE SALICORNE AU VINAIGRE / 2 CUIL. À SOUPE DE CRÈME FRAÎCHE ÉPAISSE / 4 TRANCHES DE SAUMON FUMÉ / 1 PETIT CONCOMBRE / 1 CITRON / 16 PETITS BLINIS (P. 118) / UNE PINCÉE DE SEL.

o Laver et égoutter l'aneth puis le ciseler. Rincer et émincer la salicorne. Mélanger l'aneth ciselé et la salicorne avec la crème fraîche et le sel.

o Couper le saumon en lamelles. Éplucher le concombre et le couper en tagliatelles à l'aide d'un économe. Presser le citron.

o Sur chaque blinis, étaler un peu de crème fraîche à l'aneth et à la salicorne, puis répartir quelques lamelles de saumon et quelques tagliatelles de concombre. Verser un trait de jus de citron.

cousins

BLINIS AU GORGONZOLA

◎	!	€
4 PERS.	ÉLÉMENTAIRE	PEU COÛTEUSE

Préparation : 5 min – Cuisson : 4 min

1/2 BOUQUET DE CIBOULETTE / 100 G DE GORGONZOLA / 50 G DE NOIX / 8 BLINIS (P. 118).

○ Laver et ciseler la ciboulette. Dans un saladier, écraser le gorgonzola puis ajouter les noix en éclats et la ciboulette. Mélanger et étaler la crème sur les blinis.

○ Répartir les blinis dans un grand plat et les passer sous le gril du four à 200 °C (th. 6-7) 2 à 4 minutes. Servir chaud.

BLINIS AU CHÈVRE ET À LA FIGUE

◎	!	€
4 PERS.	ÉLÉMENTAIRE	PEU COÛTEUSE

Préparation : 20 min – Cuisson : 25 min

4 FIGUES / 1 POIGNÉE DE NOISETTES / 1 CUIL. À CAFÉ DE GRAINES D'ANIS / PÂTE À BLINIS (P. 118) / 120 G DE CHÈVRE FRAIS / 1 CUIL. À CAFÉ DE GINGEMBRE EN POUDRE / 3 CUIL. À SOUPE D'HUILE DE NOISETTES.

○ Laver les figues et les couper en quartiers. Hacher les noisettes et les faire dorer dans une poêle à sec.
○ Verser les graines d'anis dans la pâte à blinis. Faire cuire les blinis à la poêle avec un peu de matière grasse.

○ Étaler le chèvre frais sur les blinis, saupoudrer de gingembre. Répartir les quartiers de figue et disposer les blinis sur une grille. Verser quelques gouttes d'huile de noisettes sur les figues et faire griller au four 5 minutes à 180 °C (th. 6).
○ Saupoudrer d'éclats de noisette grillés avant de servir.

cousins

BLINIS À L'HOUMMOS

4 PERS. | **ÉLÉMENTAIRE** | **RAISONNABLE**

Préparation : 20 min – Cuisson : 5 min

1 PETITE BOÎTE DE POIS CHICHES CUITS / 2 GOUSSES D'AIL / 1 CITRON / 3 CUIL. À SOUPE D'HUILE D'OLIVE / 2 BRANCHES DE BASILIC / 1 GRANDE AUBERGINE / 12 PETITS BLINIS (P. 118) / SEL, POIVRE.

o Égoutter les pois chiches. Éplucher l'ail et l'émincer, presser le citron. Mixer les pois chiches avec l'ail, le jus de citron et l'huile d'olive. Saler et poivrer. Laver le basilic et l'égoutter ; détacher les feuilles.

o Faire chauffer de l'huile de friture dans une friteuse. Laver l'aubergine, supprimer la queue et couper 12 tranches. Faire frire les rondelles d'aubergine 2 à 3 minutes selon l'épaisseur. Les égoutter sur du papier absorbant.

o Sur chaque blinis bien chaud, déposer 1 rondelle d'aubergine frite, une pincée de sel, 1 cuillerée d'hoummos et quelques feuilles de basilic.

BLINIS AUX NOIX DE SAINT-JACQUES

4 PERS. | **FACILE** | **CHÈRE**

Préparation : 20 min – Marinade : 1 h

1 ORANGE NON TRAITÉE / 1 CITRON NON TRAITÉ / 3 CM DE GINGEMBRE FRAIS / 1 PETIT PIMENT SEC / 8 NOIX DE SAINT-JACQUES SANS CORAIL / 16 MINIBLINIS (P. 118) / FLEUR DE SEL.

o Zester et presser l'orange et le citron. Éplucher et râper le gingembre. Piler ensemble le gingembre, le piment et les zestes d'agrumes. Dans un saladier, mélanger les jus de citron et d'orange, le gingembre, le piment et les zestes pilés.

o Couper les noix de Saint-Jacques en fines lamelles et les verser dans le saladier. Laisser mariner 1 heure au frais.

o Au moment de servir, réchauffer les blinis, égoutter les lamelles de noix de Saint-Jacques. Répartir les lamelles sur les blinis et saupoudrer de fleur de sel.

cousins

GÂTEAU DE BLINIS AUX LÉGUMES

4 PERS. | **FACILE** | **PEU COÛTEUSE**

Préparation : 30 min – Cuisson : 20 min – Repos : 3 h 10 min

50 CL DE LAIT / 1 SACHET DE LEVURE DE BOULANGER / 125 G DE FARINE DE BLÉ / 125 G DE FARINE DE SARRASIN / 1 CUIL. À SOUPE DE SUCRE EN POUDRE / 3 ŒUFS / 1 COURGETTE / 1 AUBERGINE / 2 CUIL. À SOUPE D'HUILE D'OLIVE / 2 CUIL. À SOUPE DE VINAIGRE BALSAMIQUE / ORIGAN / 8 QUARTIERS DE TOMATE CONFITE / 20 G D'OLIVES NOIRES DÉNOYAUTÉES / SEL.

○ Faire tiédir 10 cl de lait, les verser dans un verre et y délayer la levure. Laisser gonfler 10 minutes.

○ Dans un saladier, battre ensemble la farine de blé, la farine de sarrasin, le sucre et les jaunes d'œufs. Ajouter la levure. Verser le reste de lait petit à petit en battant à chaque fois.

○ Couvrir d'un torchon et laisser reposer 3 heures.

○ Laver la courgette et l'aubergine, les couper en dés.

○ Dans un plat à gratin, déposer les dés d'aubergine et de courgette, arroser d'huile d'olive et de vinaigre balsamique, saupoudrer de sel et d'origan.

○ Passer sous le gril du four à 160 °C (th. 5-6) pendant 15 minutes environ, jusqu'à ce que les légumes soient grillés. Mélanger les tomates confites coupées en morceaux et les olives hachées.

○ Battre les blancs en neige avec une pincée de sel, puis les incorporer délicatement à l'appareil à blinis juste avant la cuisson.

○ Dans une poêle légèrement huilée de 12 cm de diamètre, déposer un quart des légumes et, quand ils sont chauds, verser 1 louche de pâte à blinis.

○ Quand des bulles se forment à la surface, retourner le blinis et poursuivre la cuisson 3 minutes environ.

BLINIS

Les blinis sont d'origine russe et sont surtout utilisés pour l'apéritif. Vous pouvez également les déguster en entrée ou essayer des versions sucrées pour le dessert. Les blinis sont bien meilleurs tièdes ou chauds ! Vous pouvez les préparer 2 à 3 jours à l'avance et les réchauffer au four, à la poêle ou dans un grille-pain. Traditionnellement, les blinis étaient préparés et consommés la semaine qui précédait le début du carême, ce qui correspond à notre fête du mardi gras et au Pancake Day anglo-saxon.

Cousins

BLINIS À L'ORANGE

4 PERS. | **FACILE** | **RAISONNABLE**

Préparation : 10 min – Cuisson : 15 min

20 G DE PARMESAN / 1 ORANGE NON TRAITÉE / 1 ESCALOPE DE POULET OU DE VEAU (200 G) / 15 G DE BEURRE DEMI-SEL / 15 CL DE CRÈME FRAÎCHE / 8 MINIBLINIS (P. 118) / SEL, POIVRE.

o Râper le parmesan.

o Zester puis presser l'orange. Blanchir les zestes 1 minute dans une casserole d'eau bouillante puis égoutter.

o Couper l'escalope de poulet en petits morceaux.

o Dans une casserole, faire fondre le beurre avec les zestes d'orange. Verser les morceaux de poulet, faire dorer 5 minutes de chaque côté. Verser le jus d'orange et la crème fraîche. Saler et poivrer. Couvrir et laisser mijoter 5 minutes à feu doux.

o Répartir la préparation sur 8 miniblinis tièdes et saupoudrer de parmesan fraîchement râpé.

ASTUCE

Accompagner d'une salade de mâche et de cresson.

BLINIS À LA TRUITE FUMÉE

4 PERS. | **ÉLÉMENTAIRE** | **CHÈRE**

Préparation : 10 min

2 CITRONS VERTS NON TRAITÉS / 100 G DE RICOTTA / 4 TRANCHES DE TRUITE FUMÉE / 4 BRANCHES DE CORIANDRE FRAÎCHE / 8 BLINIS DE 12 CM (P. 118).

o Zester et presser les citrons verts. Mélanger intimement les zestes et le jus avec la ricotta. Couper les tranches de truite fumée en lamelles. Laver et égoutter la coriandre ; détacher les feuilles une par une.

o Étaler la ricotta au citron vert sur les blinis chauds. Déposer quelques lamelles de truite fumée et quelques feuilles de coriandre. Servir immédiatement.

ASTUCE

On peut zester un troisième citron vert non traité et intégrer les zestes dans la pâte à blinis avant de les cuire ou encore ajouter quelques feuilles de coriandre ciselées dans la pâte à blinis...

cousins

BLINIS À LA RUSSE

4 PERS. | **ÉLÉMENTAIRE** | **PEU COÛTEUSE**

Préparation : 15 min

1/2 CITRON / 1 POMME GRANNY SMITH / 4 CORNICHONS / 2 FILETS DE HARENG FUMÉS / 4 BLINIS DE 12 CM (P. 118) / 1 YAOURT BRASSÉ / 1 CUIL. À SOUPE D'ANETH CISELÉ / UNE PINCÉE DE PAPRIKA / SEL, POIVRE.

o Presser le demi-citron dans un petit saladier. Éplucher la pomme, la couper en dés et les verser dans le saladier. Mélanger. Couper les cornichons en petites rondelles.

o Détailler les harengs en dés. Verser les rondelles de cornichon et les dés de hareng dans le saladier et mélanger. Réserver.

o Sur les blinis chauds, étaler 1 cuillerée à café de yaourt, saler et poivrer. Saupoudrer d'aneth. Répartir le mélange pomme-cornichon-hareng. Ajouter le paprika et servir aussitôt.

Cousins

PÂTE À PANCAKES

4 PERS.   ÉLÉMENTAIRE   RAISONNABLE

Préparation : 10 min – Cuisson : 25 min – Repos : 2 h

25 G DE BEURRE / 250 G DE FARINE DE BLÉ / 1 SACHET DE LEVURE CHIMIQUE / 20 G DE SUCRE EN POUDRE / 50 CL DE LAIT / 2 CUIL. À SOUPE DE CRÈME FRAÎCHE ÉPAISSE / 1 ŒUF + 1 BLANC.

○ Faire fondre le beurre.

○ Dans un saladier, mélanger tous les ingrédients secs et former un puits. Y verser le beurre fondu, le lait, la crème fraîche et 1 œuf. Battre à l'aide d'un fouet.

○ Battre le second blanc en neige avec le sel et l'incorporer à la préparation. Couvrir le saladier d'un torchon propre et laisser gonfler 2 heures.

○ Faire cuire dans une poêle à pancake antiadhésive légèrement beurrée ou huilée.

PANCAKES

*Il existe autant de recettes de pancakes que de… recettes de crêpes !
Effectivement, il existe de nombreuses variantes, notamment d'un pays à l'autre.
Le pancake Made in USA est plus épais et moins large que son homologue
Made in Great-Britain. Pourquoi ? parce que les Américains ajoutent
un peu de levure dans la pâte à pancakes.
Mais les variétés de pancakes ne se limitent pas aux versions anglaise ou
américaine. Les Égyptiens se targuent aussi d'avoir leur pancake, qui se présente
comme un chausson fourré. Et ce n'est qu'un exemple !
De même que les Français fêtent mardi gras, les Anglo-Saxons
ont créé le Pancake Day. Pourquoi se priver ?*

PÂTE À PANCAKES AU YAOURT

4 PERS.   ÉLÉMENTAIRE   RAISONNABLE

Préparation : 10 min – Cuisson : 20 min – Repos : 30 min

300 G DE FARINE / 2 CUIL. À SOUPE DE SUCRE EN POUDRE / 2 ŒUFS / 80 G DE BEURRE / 10 CL DE LAIT / 2 YAOURTS NATURE (240 G) / UNE PINCÉE DE SEL.

o Dans un saladier, mélanger ensemble la farine, le sucre et le sel. Former un puits. Battre les œufs et les verser dans le saladier. Mélanger jusqu'à obtention d'une pâte homogène, sans grumeau.

o Faire fondre le beurre. Le mélanger avec le lait et verser le tout dans le saladier. Mélanger puis ajouter les yaourts. Battre énergiquement. Couvrir d'un torchon et laisser reposer 30 minutes.

o Faire cuire dans une petite poêle antiadhésive légèrement huilée.

Cousins

PANCAKES ANTILLAIS

4 PERS. | **FACILE** | **PEU COÛTEUSE**

Préparation : 15 min – Cuisson : 15 min – Repos : 30 min

75 G DE RAISINS SECS / 3 BANANES / 25 G DE BEURRE DOUX / 25 G DE SUCRE ROUX / 4 CUIL. À SOUPE DE NOIX DE COCO RÂPÉE / 1/2 CUIL. À CAFÉ DE VANILLE EN POUDRE / 15 CL DE RHUM / 4 PANCAKES (P. 132).

o Faire gonfler les raisins secs dans un bol d'eau chaude pendant 30 minutes, puis les égoutter.

o Éplucher les bananes et les couper en rondelles.

o Dans une poêle antiadhésive, faire fondre le beurre avec le sucre. Ajouter les bananes en rondelles et les raisins secs égouttés, saupoudrer de noix de coco et de vanille.

o Laisser cuire à feu doux 10 minutes en remuant avec une cuillère en bois.

o Faire chauffer à feu doux le rhum dans une casserole.

o Répartir la préparation sur 4 pancakes chauds.

o Arroser de rhum et faire flamber aussitôt.

cousins

PANCAKES À LA CLÉMENTINE

4 PERS.   **FACILE**   **PEU COÛTEUSE**

Préparation : 20 min − Cuisson : 5 min

4 CLÉMENTINES / 1 ORANGE NON TRAITÉE / 1 GOUSSE DE VANILLE / 4 CUIL. À SOUPE DE MASCARPONE / 4 PANCAKES (P. 132) / 10 CL DE COINTREAU.

o Éplucher les clémentines, détacher les quartiers un par un. Zester l'orange à l'aide d'un zesteur. Fendre la gousse de vanille dans le sens de la longueur ; avec la pointe d'un couteau, gratter les petits grains noirs au-dessus d'un bol.

o Dans le bol, mélanger le mascarpone avec la vanille et les zestes d'orange.

o Faire chauffer les pancakes, les servir dans 4 assiettes. Sur chaque pancake, déposer les quartiers de clémentine et 1 cuillerée à soupe de mascarpone parfumé.

o Dans une petite casserole, faire chauffer à feu doux le Cointreau. Pour chaque pancake, verser un trait de Cointreau et le flamber aussitôt.

PANCAKES À LA FRAISE ET VINAIGRETTE À LA MENTHE

4 PERS.	ÉLÉMENTAIRE	PEU COÛTEUSE

Préparation : 15 min

1 CITRON / 6 BRANCHES DE MENTHE FRAÎCHE / 2 CUIL. À SOUPE D'HUILE DE NOISETTES / 20 G DE SUCRE EN POUDRE / RÉGLISSE EN POUDRE (FACULTATIF) / 50 G DE NOISETTES / 250 G DE FRAISES / 4 PANCAKES (P. 132).

○ Presser le citron. Laver, égoutter et ciseler la menthe.

○ Dans un bol, faire une vinaigrette avec l'huile de noisettes, la menthe, le sucre, la réglisse en poudre et le jus de citron.

○ Hacher grossièrement les noisettes et les faire griller à sec dans une poêle.

○ Laver les fraises, supprimer les queues et les parties abîmées. Couper les fraises en quartiers.

○ Couvrir les pancakes tièdes de fraises fraîches, arroser de vinaigrette et saupoudrer d'éclats de noisettes.

ASTUCE

Les gourmands peuvent accompagner cette recette d'une noix de crème Chantilly.

PANCAKES GRATINÉS À LA FIGUE

4 PERS.	ÉLÉMENTAIRE	PEU COÛTEUSE

Préparation : 15 min – Cuisson : 7 min

20 G DE BEURRE / 4 PANCAKES (P. 132) / 8 SPÉCULOOS / 12 FIGUES / 4 CUIL. À SOUPE DE VINAIGRE DE FRAMBOISE / 4 CUIL. À SOUPE DE MIEL LIQUIDE.

○ Faire fondre le beurre. Poser les pancakes sur une grille couverte de papier sulfurisé. Étaler le beurre fondu sur les pancakes.

○ Écraser les spéculoos à l'aide d'un pilon ou avec les mains.

○ Laver les figues délicatement et les couper en quartiers. Répartir les figues sur les 4 pancakes.

○ Arroser d'un trait de vinaigre de framboise et de miel liquide. Répartir les spéculoos écrasés.

○ Passer les pancakes aux figues au four à 180 °C (th. 6) pendant 5 à 7 minutes et servir aussitôt.

PANCAKES FAÇON MENDIANT

◎	!	€
4 PERS.	**ÉLÉMENTAIRE**	**PEU COÛTEUSE**

Préparation : 10 min – Cuisson : 5 min

100 G DE CHOCOLAT NOIR / 50 G DE NOIX / 50 G DE NOIX DE PÉCAN / 50 G DE NOIX DE CAJOU / 50 G DE NOISETTES / 50 G DE MIEL DE LAVANDE / 4 PANCAKES (P. 132) / 4 BOULES DE GLACE À LA VANILLE.

o Faire fondre le chocolat au bain-marie. Réserver.

o Dans un mixeur, moudre la moitié des fruits secs. Verser la poudre obtenue dans un saladier et la mélanger intimement avec le miel.

o Sur des pancakes chauds, étaler le mélange de miel aux noix, déposer des fruits secs entiers.

o Servir avec une boule de glace à la vanille. Arroser d'un trait de chocolat fondu.

PANCAKES AUX POIRES

◎	!	€
4 PERS.	**FACILE**	**PEU COÛTEUSE**

Préparation : 15 min – Cuisson : 40 min

500 G DE POIRES / 4 CM DE GINGEMBRE FRAIS / 1 CUIL. À CAFÉ DE CANNELLE EN POUDRE / 1/2 CUIL. À CAFÉ DE VANILLE EN POUDRE / 10 CL DE VIN ROUGE / 250 G DE SUCRE SPÉCIAL CONFITURE / 2 CLOUS DE GIROFLE / 1 ÉTOILE D'ANIS / 8 PANCAKES (P. 132).

o Éplucher les poires, ôter les pépins et couper les poires en morceaux.

o Éplucher et râper le gingembre.

o Dans un faitout, faire revenir les poires, le gingembre, la cannelle et la vanille pendant 5 minutes en remuant régulièrement.

o Verser le vin, le sucre, les clous de girofle et l'étoile d'anis, porter à ébullition.

o Réduire le feu et poursuivre la cuisson 25 à 30 minutes jusqu'à obtention d'une confiture.

o Retirer les clous de girofle et l'étoile d'anis.

o Étaler cette confiture sur les pancakes chauds.

Cousins

PANCAKES AUX POMMES

◯	!	€
4 PERS.	FACILE	RAISONNABLE

Préparation : 5 min – Cuisson : 10 min

1 CITRON NON TRAITÉ / 2 POMMES / 50 G DE BEURRE DEMI-SEL / 50 G DE SUCRE EN POUDRE / 4 PANCAKES (P. 132).

o Zester et presser le citron.
o Éplucher les pommes, les couper en dés et les arroser de la moitié du jus de citron.
o Dans une poêle, faire fondre le beurre avec le sucre, le jus et les zestes de citron. Remuer régulièrement jusqu'à obtention d'un caramel.

o Faire revenir les morceaux de pomme dans le caramel pendant 5 à 7 minutes.
o Étaler les morceaux de pomme sur les pancakes tièdes.

PANCAKES AU CONFIT DE TOMATES VERTES ET FENOUIL

◯	!	€
4 PERS.	FACILE	RAISONNABLE

Préparation : 15 min – Cuisson : 30 min

1/2 FENOUIL / 2 TOMATES VERTES / 1 CITRON / 75 G DE SUCRE EN POUDRE / 4 CUIL. À SOUPE DE GRAINES DE COURGE / 4 PANCAKES (P. 132).

o Laver le fenouil et les tomates. Les couper en dés. Presser le citron.
o Dans un faitout, faire revenir à feu doux les tomates vertes et le fenouil avec le sucre et le jus de citron.
o Laisser mijoter 30 minutes en remuant régulièrement avec une cuillère en bois. Ajouter un peu d'eau tiède si nécessaire.

o Dans une poêle à sec, faire éclater les graines de courge. Réserver.
o Sur les pancakes chauds, répartir le confit de tomates vertes et de fenouil, parsemer de graines de courge grillées.

TABLE DES MATIÈRES

Table des Matières

Dépôt légal 1er trim. 2007 - n° 3 236
Imprimé en U.E.

Imprimé en France